鉄道模型のための車両資料集

キハ85・キハ183

2023年にすべての定期運用が終了した
JR東海のキハ85とJR北海道のキハ183。
国鉄末期からJR誕生直後に登場した
JRを代表した気動車特急の最晩年の姿をモデラー視点で記録した。
ディテールアップやウェザリングの資料として役立てていただければ幸いだ

佐々木龍

CONTENTS

新時代の幕開けを感じさせた気動車特急

キハ85

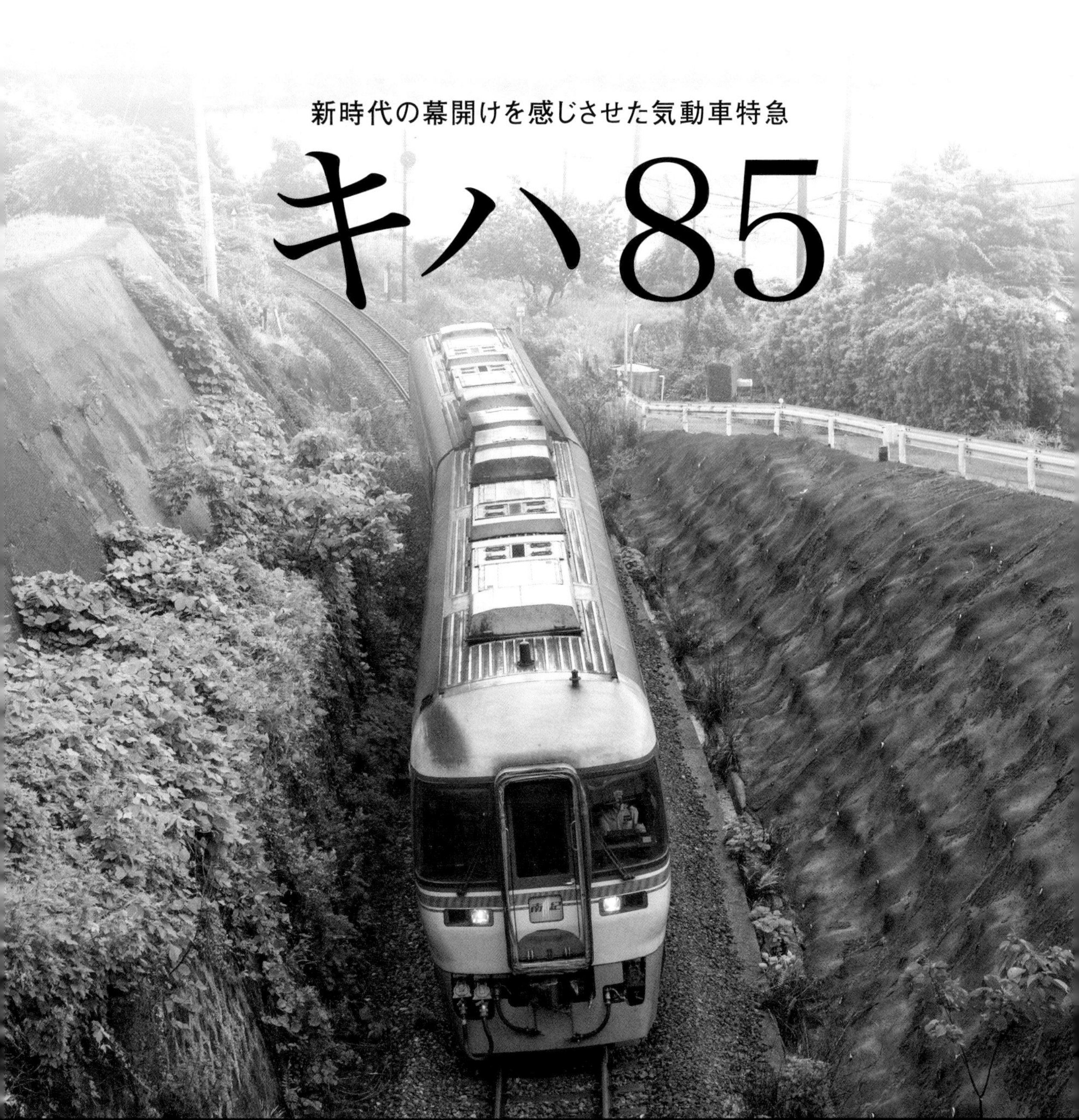

≪ JR東海のトレンディトレイン ≫

キハ85は国鉄から引き継いだキハ82を置き換えるべく1988年に登場。高山本線を代表する特急ひだ用の車両として1989年から営業を開始した。

JRでは初めてとなり、以後各気動車にも採用されたアメリカのカミンズ社(製造はイギリス)の高出力エンジンを各車2基搭載し、非力でスピードの出なかったキハ82から大幅なスピードアップを実現。1990年にはキハ85の量産を開始し、高山本線のキハ82を淘汰していく。1992年には特急南紀向けのキハ85も登場させ、キハ82の完全置き換えを達成する。

高出力で信頼性の高いエンジンや風光明媚な車窓をより楽しめるよう、座席が一段高くなったワイドビューのエクステリアなどの評判も高く、2023年の定期運用終了まで事故による廃車の発生や一部車両のバリアフリー化改造など細かな改造は実施されたものの、それ以外は全車が登場時とあまり変わらぬ姿のまま現役を終えた。

キハ85 サイドビュー

まずは実際の特急ひだのサイドビューを見ていこう！　今回、撮影したのはひだ8号とひだ13号。両端が非貫通車で、グリーン車が2両連結されている豪華な編成だ。キロ85を含んだ3両が途中の高山駅で切り離され富山行きの編成となる運用だ

DATA FILE

ひだ8号

富山・高山発名古屋行き

← 岐阜

キロ85-1	キハ84-301	キハ85-1102

キハ85-1105	キハ84-12	キロハ84-3	キハ85-11

富山・高山／名古屋 →

2023年3月10日撮影

キロ85 1

特急南紀用に登場した先頭グリーン車。名古屋行きは富山～岐阜間では最後尾となり逆向きの運転となる

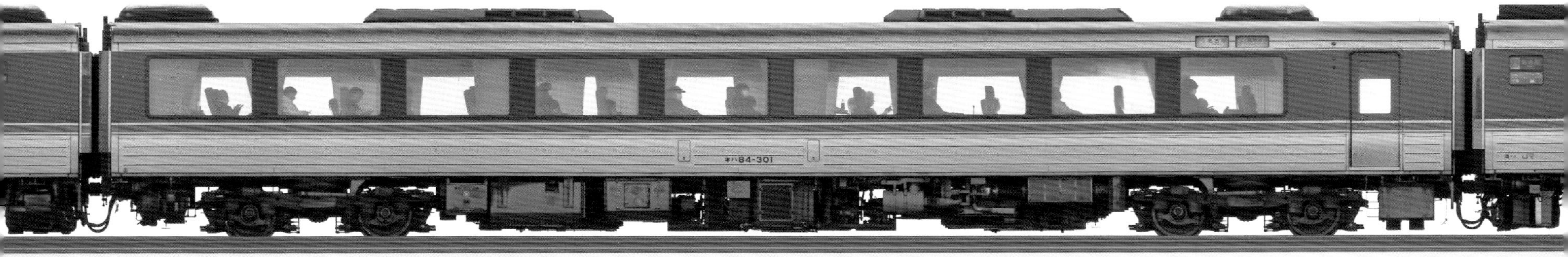

キハ84 301

キハ85で最大の乗車定員を誇る300番台。こちらも南紀用に登場した車両だが、2001年以降は富山行きの編成が定位置に

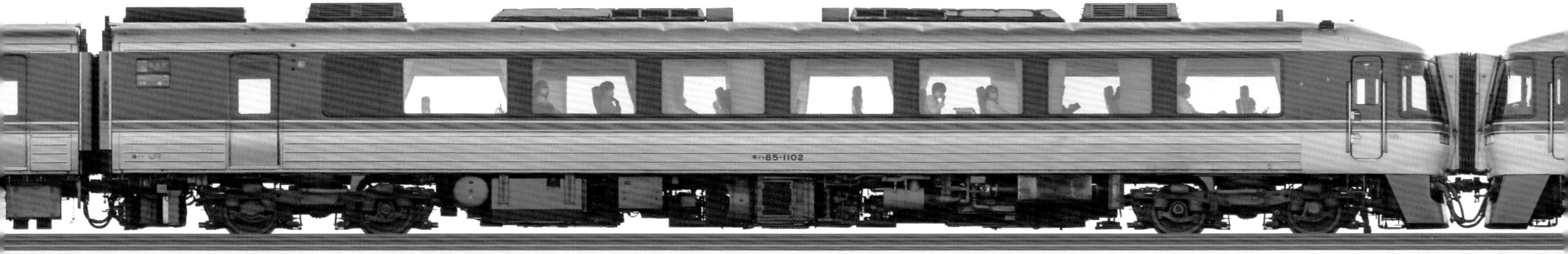

キハ85 1102

ひだ用として登場したキハ85の100番台の先行量産車。バリアフリー化により1100番台になっている。
ドア横の号車表示がLEDのほか、屋上の通気口のルーバーが大型化されているのが特徴だ

← 岐阜

キハ85 サイドビュー

富山·高山／名古屋 →

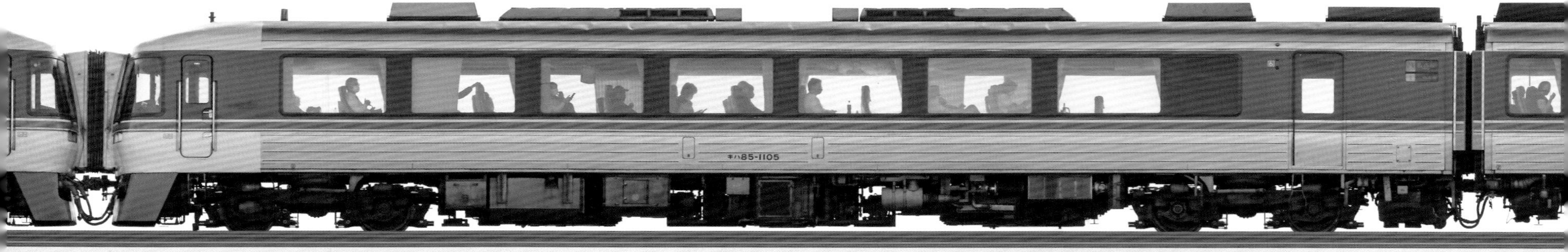

キハ85 1105

同じくひだ用に登場したキハ85の100番台の量産車。元は100番台で登場したがバリアフリー対応で原番＋1000の1100番台となっている。デッキすぐの座席が一段低くなっているのがバリアフリー対応座席だ

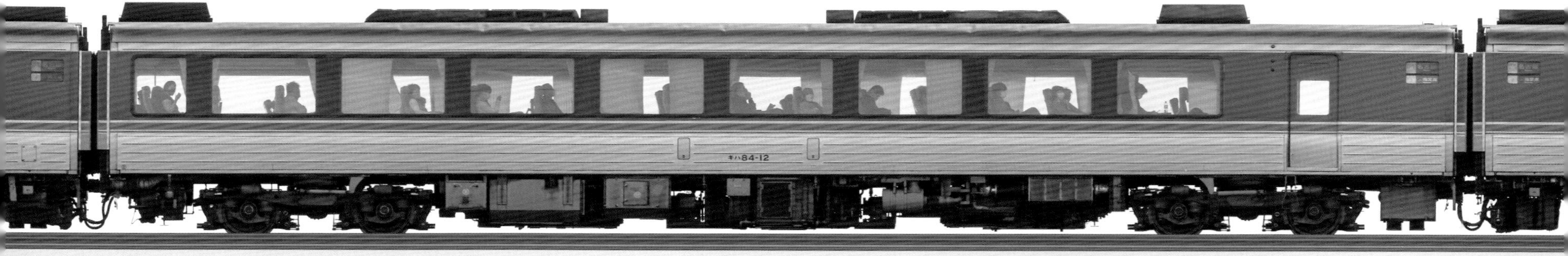

キハ84 12

ひだ用の全室一般車の中間車、キハ84。かつてはデッキ右手に車販準備室や電話室などが備わっていたが、晩年はすべて営業終了していた

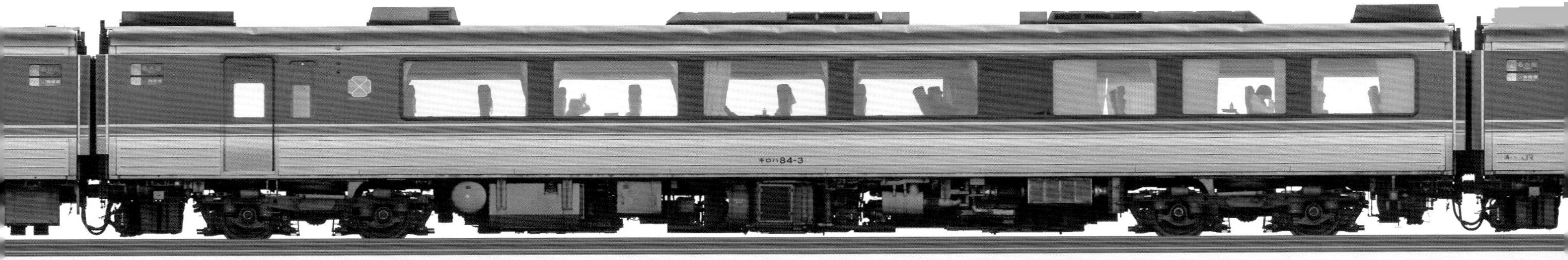

キロハ84 3

特急ひだ用のグリーン車を含む車両として登場したキロハ84の量産車。半室グリーン車となっており、写真左手がグリーン室となっている

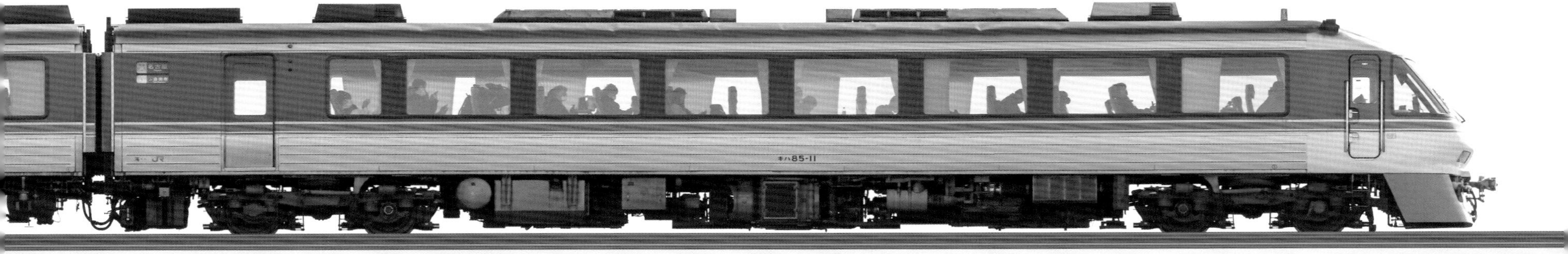

キハ85 11

特急ひだ用に登場した先頭車、キハ85の量産車。0番台車は非貫通顔となっている

先ほどの編成と逆サイドを見る。
撮影したのは同じ日のひだ13号だ

DATA FILE

ひだ13号

名古屋発高山·富山行き

← 富山·高山／名古屋

キハ85-11	キロハ84-3	キハ84-12	キハ85-1105
キハ85-1102	キハ84-301	キロ85-1	

岐阜 →

2023年3月10日撮影

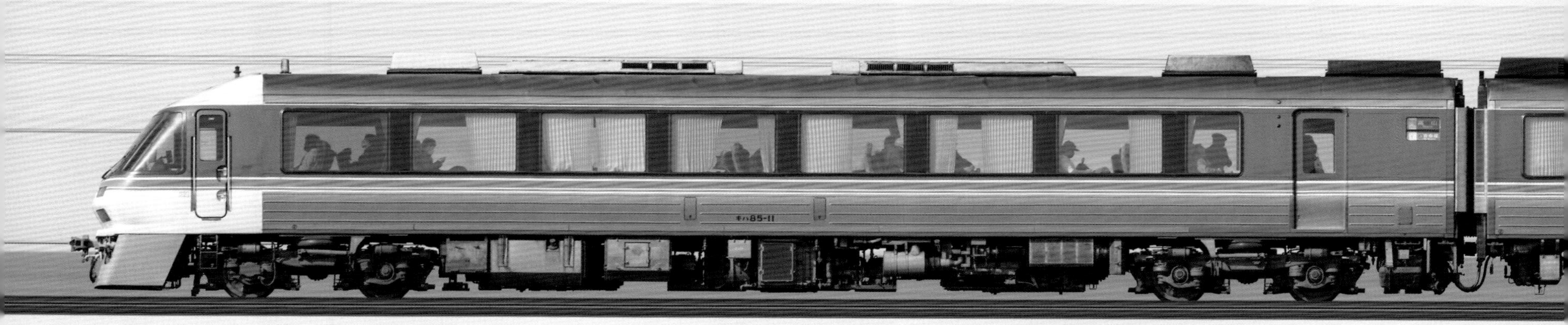

キハ85 11

先ほどの編成と逆サイドを見る。ひだ8号では両端が非貫通顔の先頭車での運用が多かった

キロハ84 3

連続窓で合造車らしさは薄れているが、車両中央やや左にある黒い大きいスペースがグリーン室との境目となっている

キハ84 12

隣のキロハ84とは客ドアが隣り合うように編成が組まれている

← 富山·高山／名古屋

キハ85 サイドビュー

岐阜 →

キハ85 1105

バリアフリー化の工事は客席の一部をフラット化したほか、トイレを車椅子対応としたため、デッキ内部のレイアウトが一部変更となった。デッキ横の客窓が1枚埋まり、洗面所と機器箱が備わっている

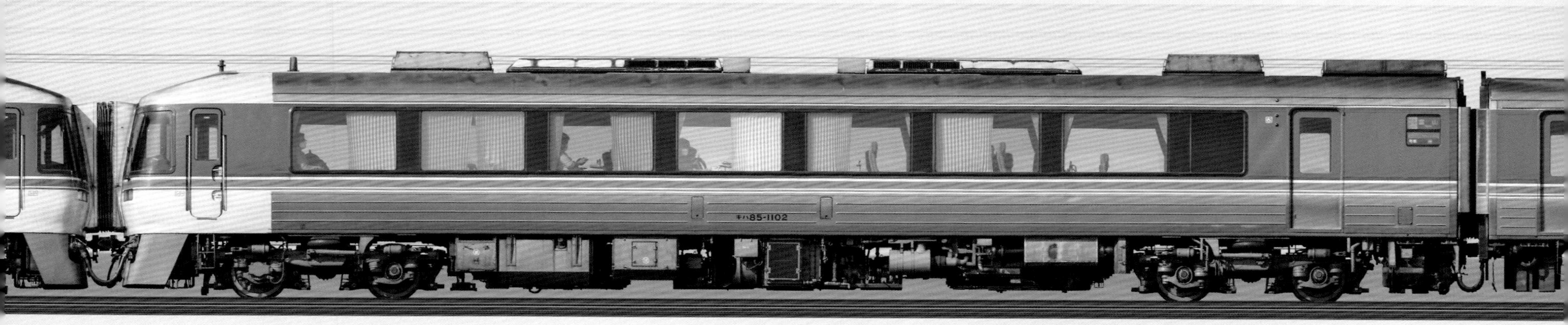

キハ85 1102

先行量産車のキハ85だが、屋上機器も反対側は量産車と同じくルーバーがない

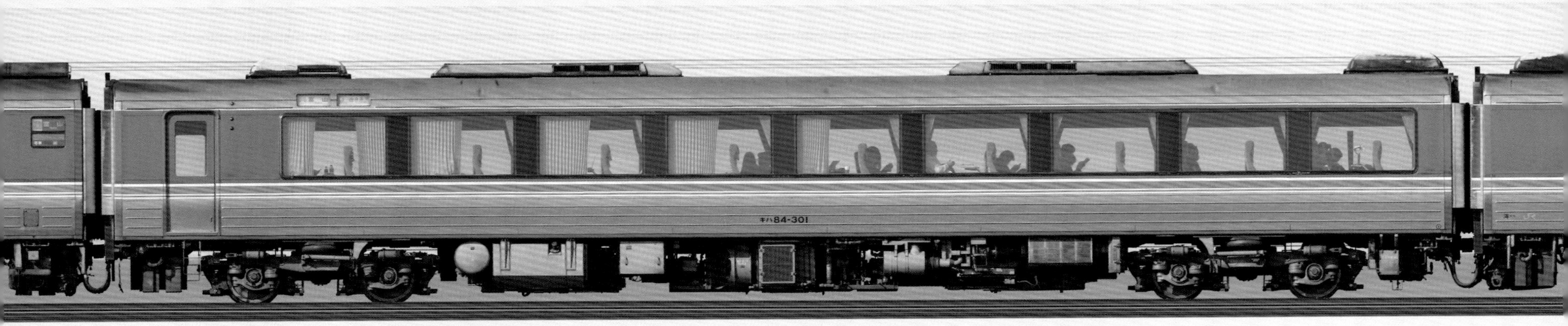

キハ84 301

特急南紀用の車両は先行量産車などはなく、全車同じ仕様で登場。写真はトップナンバー車だが、ほかの量産車も同じ仕様だ

キロ85 1

キロ85もトップナンバーだが、こちらも先行量産車などはなく、全車ほぼ同じ仕様となっている

キハ85 屋根上の記録

前ページまではサイドビューを見せたが、次は同じ車両の屋根上の観察だ。ディーゼルカーらしい煤汚れが目立つ……と思いきや、こまめに洗車しているのだろうか、汚れは意外に少ない。タンクなどは下部に汚れが残っているが、これは洗浄跡のように見える。また、気動車ゆえに各車固定編成を持たず、運用ごとに組成が変わるため汚れかたも連続性はあまりなく、各車バラバラになっている点にも注目だ

▲
キロ85 1
先頭部に排気管があるので、前面も助手席側の屋根は汚れる。
屋根は意外に比較的きれいだ

◀ キハ84 301
中間車は妻面に排気管が伸びているので、
妻面あたりの屋上機器は黒く汚れる。
それ以外はウェザリングでは墨入れしたかのような
表現のみでよさそうだ

キハ85 1102 ▶
先行量産車だが、
屋上の通風機のルーバー形状など
細かい変化が見られる

▲
キハ85 1105
富山編成の車両とくらべ、
屋根のビードの隙間に汚れが溜まっているように見える。
おでこもほんのり茶色く汚れている

▲
キハ84 12
屋根もうっすら汚れているほか、
屋上機器も比較的汚い

◀ キロハ84 3
排気管の周囲はやはり汚れているが、
走行時間が長いためか全体的にうっすらと
グラデーションのように汚れている

キハ85 11 ▶
排気管の汚れがもっとも目立ち、
屋根肩までうっすらと黒くなっている。
いずれにせよ全車煤汚れは
うっすらと付着した感じだ

番台ごとの
仕様などを
見ていこう

キハ85
車両別
データファイル

キハ85は比較的多くの番台区分が存在し、それぞれに特徴が見られる。
本来であれば元ひだ用と元南紀用で登場した車両でわけて
紹介すべきなのだろうが、本書はあくまでも模型資料を目的としているので、
似た形状の車両をまとめて紹介していくことにする。
まずはキハ85の非貫通顔から取り上げていこう

キハ85 0番台／キロ85 0番台

二つの非貫通顔

キハ85系の非貫通顔はデビュー当時流行していた前面展望の楽しめる大型窓を採用している。効果などは別として、運転席上部には当時の乗用車でよく見られたサンルーフも備わり、デザインなども含めて意欲的な車両であったことが伺える。

非貫通顔の車両は特急ひだ向けにキハ85 0番台が登場し、その後特急南紀向けのキロ85 0番台が登場している。基本的には非貫通顔が編成の中間に組み込まれることはなかったのだが、ダイヤ乱れなどでごく稀に非貫通顔と貫通顔の連結シーンも見られた。前面デザインなどはキハとキロともに同一設計であるが、キロ85は運転席側の乗務員扉のみ後方にオフセットされ、前面窓と乗務員扉の間に小窓が存在している。

キハ85といえばやはりこの顔!

キハ85 0番台

特急ひだ用に登場した先頭車。1988年に先行量産車としてキハ85-1、キハ85-2が登場したのち、1990年にキハ85-3以降の量産車が登場した。屋上機器のルーバーの形状や側面の行き先表示器に違いが見られる。客室は全室が普通車となっており、後述する貫通顔車のようなバリアフリー対応車は存在せず、全車が0番台を維持したまま引退を迎えている。0番台車のうち、キハ85-3、キハ85-6、キハ85-7、キハ85-12の4両がWILLER TRAINSこと京丹後鉄道に譲渡され、うち2両が営業車として運用される予定。キハ85-3とキハ85-12が営業運転予定で、残りの2両が部品取り車として残るようだ。現在、運用方法や外観デザインなどの公表はないのだが、今後の動向にも注目したいところだ。

非貫通先頭車で普通車のキハ85。晩年は特急ひだ、南紀いずれにも運用された。写真はキハ85-7

元は特急ひだ用の車両なので、屋上機器が角ばっているのが特徴だ。写真はキハ85-11

キロ85 0番台

デビュー当初は特急南紀用に登場した全室グリーンの先頭車。登場は1992年で、前面展望を楽しめるグリーン席の車両となった。営業開始当初は特急南紀に用いられ、紀伊勝浦方の先頭車で運転を実施していた。2001年3月のダイヤ改正で特急南紀はグリーン車の連結を取りやめることとなり(2009年に再開)、キロ85は特急ひだ用に変更。これにともない紀伊勝浦方の先頭車がキハ85 0番台に組み替えられることとなる。キロ85 0番台は特急ひだでは富山まで向かう富山編成に充当され、富山方の先頭車に使用されることが多くなり、紀勢本線への定期運用はなくなった。以来、臨時列車や突発的な運用変更で南紀に充当されることもあったが、それ以外は特急ひだ用の車両として使用され続けた。

見た目はキハ85 0番台とよく似ているが、窓配置などが異なる。写真はキロ85-3

南紀用の車両なので屋上機器はクーラー以外丸みを帯びている。写真はキロ85-4

模型の要となる前面に注目!

非貫通顔のディテール

一時期、ワイドビューを冠していた特急車ということもあり、ワイドな窓から車窓を存分に楽しめたキハ85。窓が大きい分、外から中がよく見えてしまうので、模型的には前面のディテールはもちろんのこと、内装パーツやデッキ仕切りなどにも注目していきたい。模型ではＮゲージのKATO、HOゲージのエンドウともに前面周り、とくにライトユニット周りのサイズに違和感があるので、そのあたりの加工の参考にもなれば幸いだ。

非貫通顔のキハ85。乗務員扉の一部が前面の流線型部にかかり、斜めに曲がっているのがよくわかる

先頭部の内装拝見

キハ85の先頭車は貫通、非貫通車ともに前面展望が楽しめるようガラス仕切りとなっている。大きな前面窓からは運転席の内装などもよく見えてしまうため、模型的には内装もつくり甲斐がある。Ｎゲージの場合は運転席にライトユニットが備わるので完璧な再現は難しいが、よく見える箇所なのでつくり込みポイントの一つとなる。内装仕切りはガラスとなっているため省略してしまっても違和感はなさそうだが、透明のプラ板などを切り出して挟むとよい雰囲気になりそうだ。

キハの場合は通路がセンターなので扉位置も中央となる

キロの先頭部。座席配置が1+2なので、それに合わせて内装仕切りの扉位置も助手席側にオフセットされている

運転台はツーハンドル。キロ85の運転席の座席色は青紫色。ほかの座席は客室のシート色に準じている

模型的視点から運転台を望む。運転台以外に機器箱が並んでいるのがよくわかる

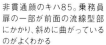

前面のディテールに着目

KATOの製品に関してはキハ85のデビューとほぼ同時期に製品化されたため、現代の基準で見るとやはり物足りなさを感じてしまう。なかでもキハ85はスカートからエアホースが伸びているのだが、これが省略されている点が残念。ライトユニットも発売当初はムギ球の電球を用いた設計で、点灯するにはライトを大きくする必要があり、実物より若干大きめになっている点も満足できない仕上がりといえるだろう。乗務員扉は登場時と異なり、ドアの取っ手が2段になり、ドア上には水切りが増設されるなどの変化も見られるので、こだわるのであればこのあたりの修正もしたいところだ。

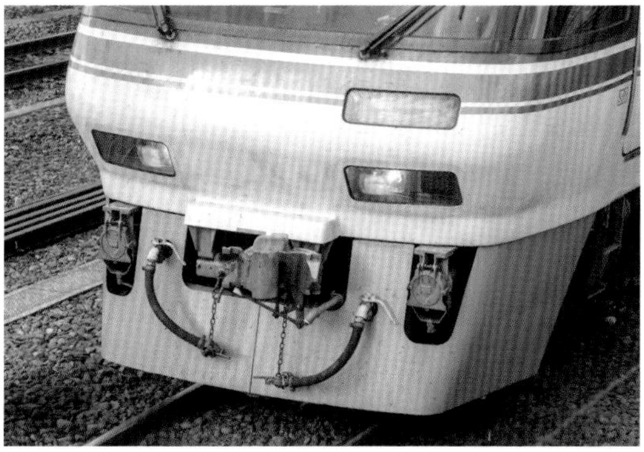

スカート周りはシンプルではあるもののエアホースが2本伸びており存在感がある

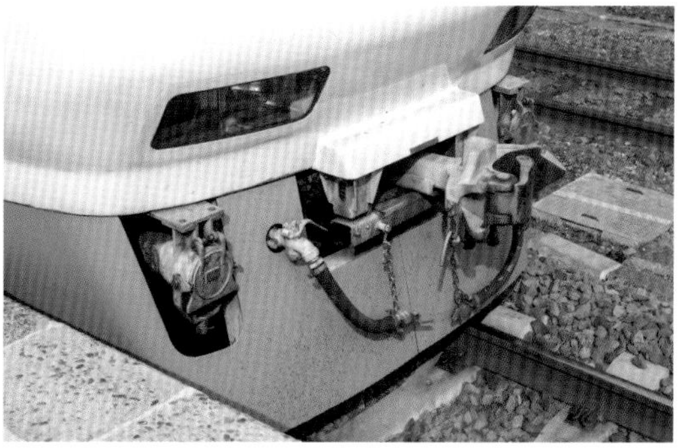

ジャンパ栓は模型では車体の内側に入り込むように設計されているが、実際は車体から飛び出るように取り付けられている。エアホースを支える鎖は胴受けから伸びている

ライトケースは小さく、ライトの縁はあまり見えない。また、ケースの周囲はわずかながらに縁が見える

サンルーフはつねにカーテンがしてあり、上からでも内装は見えない。信号炎管は台座のみが車体と同色になっている

排気管は車体よりも若干高い位置に突出している

多層建ての運用や増結に重宝

貫通顔のキハ85

貫通顔を有する1100番台と200番台／1200番台はキハ85でも一番の大所帯となっている。先頭に立って運用されるのはもちろん、併結運用で貫通顔同士の連結や増結などで中間車の代用としても運用に就いていた。

非貫通顔の流れをくんだ前面デザインとなっており前面は独特な形状となった。貫通路は「く」の字になってしまい、幌アダプターを用いないと幌の着脱ができず他車と連結できない仕様となっている。営業運転を開始してしばらくはこの幌アダプターを律儀に着脱して運用していたが、のちに全車が幌アダプターを常時装着して運用されるようになる。

2003年よりバリアフリー対応のため、キハ85の100番台全車とキハ85-209で改造が実施され、施工車は全車が原番＋1000番台車となった。外観の差異は1200番台車に関してはデッキ近くの座席の見えかたが変わった程度だが、1100番台車に関してはデッキ自体を延長させ、窓を1枚埋めている関係で若干の違いが見られる。窓は黒い板で塞がれているだけとなっている。

高山駅での入換時に見られたキハ85同士の並び。高山駅では切り離し作業なども実施するので、貫通顔を見る機会も多かった

キハ85 1100番台

100番台として登場した特急ひだ向けの車両だ。先行量産車は1988年に登場し、先述のとおりではあるが行き先表示機の号車表示や、屋上機器の一部に相違点が見られる。この先行量産車はキハ85-101とキハ85-102のみで、1990年以降に登場した車両から量産車となり主要な形態となる。特急ひだ用として登場し、定期運用はつねにひだに充当されていたが、2009年の特急南紀のグリーン車連結再開時の編成から1100番台車も南紀に充当され、以後は紀伊勝浦方の先頭車は1100番台が担当した。コロナ禍などで編成が短縮化されたが、増結時などを除いて紀伊勝浦方の先頭を務めた。

キハ85のなかで一番数の多い1100番台。写真はキハ85-1117

キハ85 200番台／1200番台

キハ85の200番台車は1992年に特急南紀用の先頭車として登場した。外観は100番台によく似ているが、男性用の小便所の設置などによりデッキが広くなっているためドア配置が異なるほか、客室もその分狭まり、100番台と比較して客窓が1枚分少なくなっている。デビュー当初は南紀の運用に就いていたが、2009年の特急南紀グリーン車連結再開時に南紀の定期運用から外れ、以後は特急ひだの一部運用に用いたほか、増結用の車両として活躍した。波動用の車両としての役割が多かった印象ではあるが、ひだも南紀もなにかと増結の多い人気特急なので、シーズンに関わらず定期的に各特急の適当な位置に組み込まれていた。ひだの定期列車ではもちろん、臨時列車でも先頭に立つ機会は多かった。

一見するとキハ85 1100番台と見た目はさほど変わらない。写真はキハ85-202

もともとは南紀用の車両なので屋上機器も丸みを帯びている。写真はキハ85-205

側面比較

200番台は100番台からトイレが増設されて側面のレイアウトが大きく変わった。走行シーンなどでは違いにあまり気づきにくかったが、側面を見ればその違いは一目瞭然だ。窓配置などのほか、屋上機器も100番台車と微妙に異なっていることにも注目したい。かつてNゲージでは製品化されなかったこの200番台車もついに発売が決まり、よりリアルなキハ85の組成が可能になった。

上が100番台(現1100番台)で下が200番台。一見すると似た構造の車両だが客窓や客ドアの位置が大きく異なっている。屋上機器もひだ用と南紀用で仕様が違うほか、機器配置も微妙に異なる

気になるポイントがたくさん

貫通顔のディテール

非貫通顔との共通設計が多い貫通顔。前面窓はパノラミックウィンドウを採用しライトは腰部に2灯のスタイルで、キハ85以降に登場するJR東海車のスタンダードなデザインとなった。こちらの愛称表示は先代のキハ82を踏襲した正方形に近い形となっている。

非貫通顔と比較してスカートはにぎやかで、助手席側にはジャンパホースが備わっている。貫通幌に関しては名古屋／富山方に取り付けてある。また、幌を装着するためのアダプターが必要で、晩年はすべての車両がつねに装着していた。

名古屋駅に入線する貫通顔のキハ85。幌アダプターは装着しているが、こちらは幌の受け側となるので幌そのものは装着していない

貫通顔の先頭部。非貫通顔と比較して先頭部の傾斜角などは緩やかだが流線型の形状を維持している

模型的チェックポイント

Nゲージの製品は昔ながらの設計を生かしたまま生産を続けているので、スカートの開口部は台車マウントのカプラーが首を振れるように大きく開口してある。非貫通顔と異なり、エアホースの箇所も欠き切られ独特な形状をしている。また、ライトユニットも非貫通顔と同じ形状をしているので、やはり気になる場合はこのあたりの修正などもしたいところだ。

おでこはサンルーフがなくシンプル。信号炎管とアンテナの位置関係も非貫通顔とさほど変化がない

愛称表示は正方形に近い。ガラス窓と幕の隙間はさほど空いていない

何度もいうが、ライトユニットのサイズは小さめ。ライトの開口部は上のオレンジのラインには重ならない

スカート形状も非貫通顔と大きく異なる。完全再現する場合はプラ板などで頑張るしかない

幌アダプターと貫通幌

流線形の独特な形状をしている貫通顔のキハ85。貫通扉も真横から見ると「く」の字に曲がっており、そのままでは貫通幌を取り付けられない。そのため幌アダプターを用いて貫通幌を装着する必要があった。この幌アダプターも晩年はつねに装着する形に落ち着いているが、元来は着脱可能な装備なので、元の幌受けに対し取っ手が備わっている。貫通幌の着脱用の取っ手などもあり、意外に部品点数は多めだ。

幌アダプターは車両取り付け用の取っ手と貫通幌着脱用の取っ手の2種類がそれぞれに備わる

幌アダプター内には手すりも見える。意外に目立つパーツだ

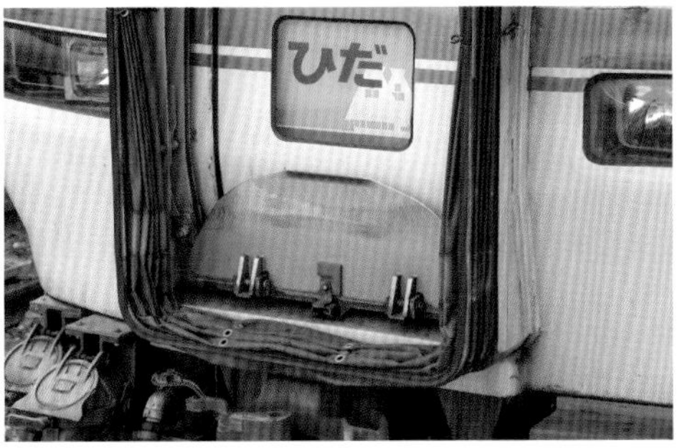

渡り板は上がっている状態で運用されていた

いわゆる鹿バンパー装置車

特急運用でもとりわけ紀勢本線の特急南紀では鹿との衝突事故が絶えず事故処理などに悩まされていた。そこで登場したのが衝撃緩和装置車だ。衝撃緩和装置とはスカートにスポンジ状のゴムを取り付け、鹿を軌道外に弾き飛ばし、車両内に極力巻き込まないようにするためのもの。衝撃緩和装置を取り付けることで、鹿衝突時の運転回復時間は短縮され、後継のHC-85系のほか一般車のキハ25にも採用されている。

キハ85で採用された車両はキハ85-8／10／1108／1109／1111／1114となっている。0番台車は定期運用では併結することがないので、スカート全体を装置で覆っていたが、1100番台車はひだで運用された際や中間先頭車での運用もこなす必要があるので、ジャンパ栓などを避けるようにバンパーが取り付けられた。そのため、1100番台車に関してはより複雑な形状のスカートとなっている。

一見すると通常の1100番台車だがスカートは物々しい雰囲気。写真はキハ85-1111

スカートにはエアホースなどを避けるようにクッションが装備されている

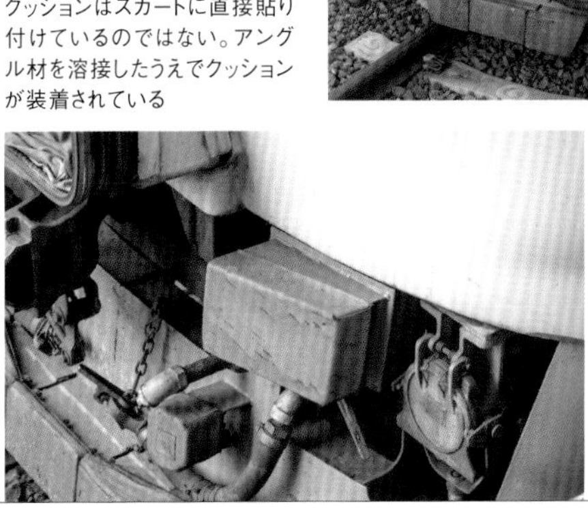

クッションはスカートに直接貼り付けているのではない。アングル材を溶接したうえでクッションが装着されている

多層建て列車には欠かせない

キハ85の連結シーン

多層建て列車としての運転も多い特急ひだ。HC-85系化した現在も継続して多層建て列車として運行され、岐阜駅と高山駅で連結や切り離しのシーンが毎日見られる。ただ、HC-85系は電気連結器を採用しており、連結自体も若干ではあるが簡略化されている。

キハ85では連結する際は連結器のほか、ジャンパ栓とエアホースを繋げる必要があり、昔ながらの連結作業を間近で見られた。模型でこのようなシーンを再現するとなると、ジオラマなどの走行可能な状態ではなく、車両をジオラマベースなどに固定した展示前提の情景になりそうだ。思い出のシーンとして再現するのも一つの楽しみかたかもしれない。

連結シーンはやはり人気。鉄道ファンのみならず、一般客と思われる方々もスマホなどを向けて撮影していた

岐阜駅での連結

岐阜駅での特急ひだの連結シーンをダイジェストで見ていこう。今回の取材は特急ひだ5号／25号での様子だ。取材時は名古屋発のひだ5号に乗車していたので、大阪からやってきたひだ25号はすでに岐阜駅に到着済み。ただ、このひだ25号の運用方法は特殊で岐阜駅到着後、客扱いをしたまま岐阜駅の留置線に一旦回送し、ひだ5号の到着を待ってから再度岐阜駅に入線する。

ひだ5号は一度客扱いを終えて所定の位置に停車したら留置線に止まっているひだ25号の入線を待つ。その間にジャンパ栓とエアホースの準備などをする。留置線から戻ってきたひだ25号はひだ5号の停車している5番線に入線。手前で一旦停止したあとに連結する。連結器同士が繋がったのを確認したらジャンパ栓、エアホースの接続と幌を繋げ高山／飛騨古川へ向けて出発、といった流れになる。

名古屋からやってきたひだ5号。先に岐阜駅に到着し、留置線で待機中の大阪からのひだ25号の入線待ちだ

連結準備として先に貫通扉を開ける。乗務員室内の扉も開閉させ、運転席を完全に仕切っている

線路に作業員が降り、連結前の指差し確認を実施。ここからエアホースやジャンパ栓の連結準備を行う

エアホースとジャンパ栓受けの準備が整い、連結の体制となる

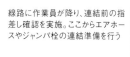

貫通顔の内装拝見

非貫通顔とさほど変わりはないが、貫通顔の内装も見ていこう。乗務員室の設計などは運用の都合などもあり基本的に似ているが、連結時に編成の中間に位置した際、通り抜けができるように設計されているため、一部仕様が異なっている。中間に組み込まれた際は乗務員室を一般客も通り抜けられるため、乗務員室の様子もしっかり確認できた。また、貫通扉も乗務員室の内側に収納されるので、愛称表示窓なども間近で見られた。

助手席側は非貫通顔と同様に空調設備のスイッチなどが収まっている

運転台は非貫通顔とほぼ同じ仕様。非貫通顔では運転席右手にコンソールボックスが続いていたが、そのスイッチ類は貫通顔では写真手前の仕切り板の内部にすべて収まっている

通常は外に出ている貫通扉も連結時は車内に格納。デザイン上、「く」の字に曲がっているので、干渉を防ぐためにドアのヒンジが長く設定してある

貫通顔も前面展望が楽しめるように仕切りはガラスに。乗務員室を通路にするための仕切りなども準備されているので、ピラーは太く設定されている

運転席は収納されているが、座席モケットは客席と同色となっている

助手席側には機器箱が鎮座している

大勢のカメラやスマホを持った方々に見守られながら連結完了。引退が近づくなかの取材だったので見学する方も多い印象

ジャンパ栓は片側のみに接続している

連結作業中、停車しているひだ5号は移動禁止となるため、その合図の赤旗を乗務員扉横に掲出している

バブリーな時代を感じさせた中間車

車内設備が充実していたキハ84

キハ85の中間車でも特急ひだ用の0番台車と特急南紀用の200番台車はデッキ内に車販準備室などが用意されていた。0番台車ではこのほかに公衆電話や自販機なども準備されており、編成内のあらゆる設備が集約されていた。

一方の特急南紀はこれらの設備を各車に分散させ、キハ84 200番台車では車販準備室のみの用意となった。ただ、車販準備室もグレードアップしており、カウンター付きの車販室も備えられていた。これらの設備も携帯電話の普及や駅構内の売店やコンビニなどの拡充により姿を消した。最晩年には自販機までもが営業を停止し、物悲しいデッキとなってしまった。

量産車のキハ84。ドア手前のデッキ内に車販準備室や電話室、自販機などが備わる。写真はキハ84-7

屋上機器は特急ひだタイプの角形となっている。写真はキハ84-7

キハ84 0番台

特急ひだ用に登場した普通席のみで構成された中間車で、ほかのひだ用車両と同様に1988年にキハ84-1とキハ84-2が先行量産車として登場。以後1990年に製造されたグループが量産車となる。

先行量産車は客室の窓配置などに変化は見られないのだが、デッキ内部のレイアウトが量産車と異なっており、客ドアが妻面寄りに設置され外観が若干異なる。キハ85-0やキハ85-100の先行量産車同様に、号車表示などがLED表示のほか、屋上機器の一部が量産車と異なるものを装備している。

キハ84の先行量産車。量産車と比較してドア位置が異なるほか、デッキ寄りに点検蓋が見える。写真はキハ84-1

キハ84 200番台

1992年に特急南紀用の中間車として登場した200番台車。先述のとおり車販室を設けているのだが、こちらはカウンター付きの大掛かりなものとなっていた。200番台車は車椅子対応を考慮し、客ドアの幅も拡張されている。これらの設備の関係で0番台より客室は狭くなりデッキが広くなっている。

登場時からずっと南紀を中心に運用されていた。特急ひだでもグリーン車を連結しないモノクラス運用時の中間車として定期運用を持っていたほか、増結用の車両としても活躍した。

ドア配置などもキハ84 0番台車と似ているがデッキ自体は広めだ。客窓もキハ84 0番台車と比較して1枚分少なくなっている。写真はともにキハ84-203

屋上機器は特急南紀用なので丸みのあるタイプ。機器配置も他車と少々異なる

キハ84 0番台とキハ84 200番台の相違点

キハ85 200番台同様に、キハ84 200番台もデッキが拡大し、その分客室が減少している。客ドアの幅が広がっているのも特徴の一つで0番台とは印象も異なる。窓配置なども異なっているほか、屋根上には水タンクなどが備わっているなどの違いも見られる。

200番台車はデッキが広くなった分、客窓が1枚減少している。また、デッキが長くなった関係でドアも0番台とくらべ位置がだいぶ異なる。写真はキハ84-205

こちらは0番台車。200番台車と比較するとかなりデッキが狭く感じる。写真はキハ84-9

0番台車のデッキ拝見

内装をつくり込んだとしても、とくにNゲージではほとんど見えないと思われるが、せっかくなので晩年の車販準備室などの様子も見ておこう。といっても肝心の車販準備室はシャッターが閉ざされ物悲しい雰囲気に。自販機も筐体は残っていたが中身はなくなっており、その様子はまさに走る廃墟のようだった。

写真左手のシャッターが車販準備室。右側の暖色系の照明になっている少し空いた空間が、かつて公衆電話の置いてあった電話室だ

車販準備室は写真のとおりシャッターが下ろされている

自販機は小さめの筐体が設置されていた。この角度ならギリギリ客ドアから中の様子が伺えるかもしれない

客室面積最大のキハ84 300番台

キハ84 300番台も先に取り上げた200番台と同じく特急南紀用の中間車として登場した。特急南紀では車両のサービス設備などを各車に分散させた番台構成となっており、この300番台はデッキ横に小型の自販機がセットされた車両で、ほかのサービス設備やトイレなどはなく、残りの空間は客室のみで構成されている。

デビュー当初は南紀専用の車両だったが、2001年3月の特急南紀のグリーン車一時撤退を受け特急ひだ編成に組み込まれることに。特急ひだでは富山に向かういわゆる富山編成に組み込まれ、キロ85とともに活躍していた。コロナの影響も落ち着き、インバウンド需要の回復とキハ85引退による注目度の高さから、2連を基本編成としていた晩年の特急南紀の増結用にキハ84 300番台が含まれる機会が多く、モノクラス3連での運行も頻繁に見られた。

客室が広くなり、デッキ自体もスペースが小さく、トイレなどの設備もないシンプルな構造となったキハ84 300番台。行き先表示と愛称表示は客窓上に設置されている。写真はともにキハ84-302

共通点の多い妻面

細部に関しては相違点もあったりするがディテールの確認をしておこう。キハ85は2001年頃より転落防止幌の取り付けを開始し、妻面には全車に転落防止幌が取り付けられた。その影響で、妻面の手すり形状は一体式のハシゴに交換された。ハシゴが備わっているのはデッキがある妻面側のみで、こちら側に検査表記と銘板などが取り付けてある。

また、全車2エンジン車なので妻面にも排気管が備わっていて、排気管にはメッシュのカバーが取り付けられている。メッシュに関しては製品では省略されているのだが、Nゲージであれば KitcheN というメーカーからこれを再現できる簡易的なパーツが発売済みだ。転落防止幌とハシゴパーツも付属しており、2001年以降の姿も頑張れば再現可能となっている。

中間車の妻面もキハ85と似た設計になっている。この逆側は手すりと車体表記がなくなっている。写真はキハ84-3

基本的に妻面はかなり汚れている。検査表記、銘板、所属表記のほか、ルーバーがきれいに拭き取られている。写真はキハ85-13

妻面のハシゴは雨樋を跨ぐように伸びており、形状も独特な仕様になっている

排気管は床下まで伸びており、下部には架線注意ならぬ高温注意ステッカーが貼られている

半室グリーン車のキロハ84

特急ひだ向けに登場した半室グリーン車のキロハ84。ほかのひだ向けの車両と同様に先行量産車のキロハ84-1とキロハ84-2が1988年に登場し、1990年から量産車の製造が開始される。臨時列車などの特殊な運用を除き、定期運用は終始、特急ひだに従事していたが、2009年の特急南紀へのグリーン車連結再開時の編成には特急南紀の定期運用も持つ。以後、コロナ禍の旅客減少による短編成化まで特急ひだ、南紀どちらでも運用される車両となった。外観は先行量産車の号車表示機等がLEDであること以外、全車に変化はさほど見られない。また、当車のみ中間車にも車掌室を有している。

半室グリーン構造のキロハ84。デッキ寄りの手前の客室がグリーン席となっている。写真はキロハ84-3

連続窓の間に大きな黒塗りの空間があるが、これが普通室とグリーン室の境目。左手が普通席、右がグリーン席となっている

キロハ84室内探訪

ほかのキハ85には見られない合造車、キロハ84の内装などを見ていこう。合造車といえば車内中央部に設けられた内装仕切りが一番の注目ポイント。キロハ84ではこの仕切りにのみ唯一の三連丸窓のドアを有している。外からでも見えかたによっては目立つので、可能なら模型で再現したいポイントの一つだ。普通席のデッキ仕切りはほかのひだ用車両と変わらず楕円形の窓となっている。

キロハには車掌室が備わっており、客ドア横に縦長の開閉窓があるのも特徴だ。車掌室は片側にのみ設置され、反対側はパイプ仕切りのオープンスペースとなっている。

室外からもチラッと見えるグリーン車の内装仕切り。ここのみ色が異なっている

普通室のデッキ仕切りの内装色は車内と同じになるが、ドアは当然丸窓

グリーン室からデッキ側を望む。デッキ仕切りと客席の間にも一枚仕切りがあるが、そのスペースはゴルフバッグなどの特大荷物置き場になっている

客扉からデッキの仕切りを見る。トイレ側は通常の仕切りだ

小窓側は車掌室となっており奥が車掌室。手前はパイプ仕切りのオープンスペース

普通客室から連結面を望む。こちらは通常の扉になっている

ひだと南紀で異なる座席や内装色に注目

キハ85の内装

晩年では車両運用がバラバラになってしまい、内装も統一感がなくなってしまっていたが、デビュー当初のキハ85はひだと南紀で車両運用がしっかりわけられ、その違いもわかりやすかった。

特急ひだ向けの内装はカラフルなのが特徴で、普通車の座席の色は車番の末尾が奇数の車両は暖色系、末尾が偶数の車両は寒色系のモケットを採用し、デッキ仕切りなどはクリームに近いアイボリーとなる。グリーン席は奇数偶数に関係なくグリーン系の色だ。

一方、南紀向けの内装はシックなのが特徴で座席は普通席、グリーン席ともにパープル系を採用し、デッキ仕切りもグレー系に統一されている。

客室の座席のほとんどは床から一段高くなり、従来車より高い視点で車窓が楽しめる。まさにワイドビューという名に相応しい車両だった

一般車

普通車の座席色は3種類。写真は奇数車の暖色系座席

座席背面はひだ、南紀問わずグレーに近い色

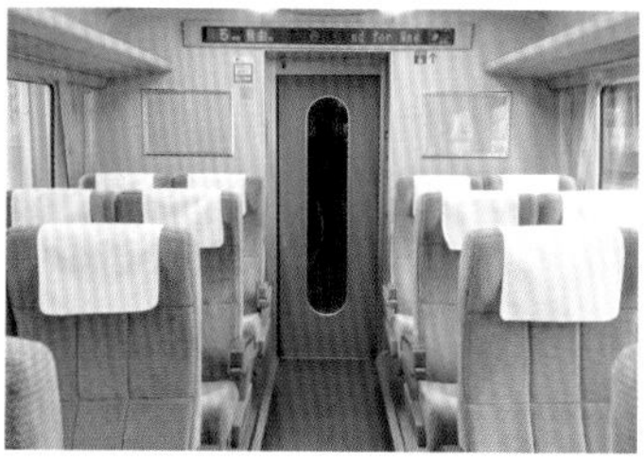

南紀用の座席はパープル系で印象も大きく変わる

バリアフリーシートは一段低くなり、車椅子を置くスペースなども見られる

グリーン車

ひだ用のグリーン席はグリーン系。色配置なども一般席と似ているが、全体的にシックな装い

南紀用のグリーン席は普通席と似たパープル系。こちらは1+2の座席配置

南紀用グリーン席のテーブルやカーテンも同じくパープル系で統一されている

意外に目立つデッキ仕切りなどに注目

模型では窓からちらりと見える仕切りにも注目したい。キハ85は座席色以外にもデッキ周りなどにも違いが見られる。まず目につくのがデッキの仕切り板の色だ。特急ひだ用の車両はデッキ仕切りもカラフルで、パステルカラーに近いアイボリーに塗られているが、南紀用はデッキもグレーに近い色になっている。デッキの仕切り戸の形状もキロハの特殊な戸を除き、ひだ用は窓の下部にピラーがあり2枚窓の構成になっているが、南紀用は1枚窓の構成となっている。

キハ85の場合、先行量産車のキハ84とキロハ84、バリアフリー化改造された車両以外は両サイドが仕切り板で覆われている

南紀用のデッキ仕切りはグレー系となっている

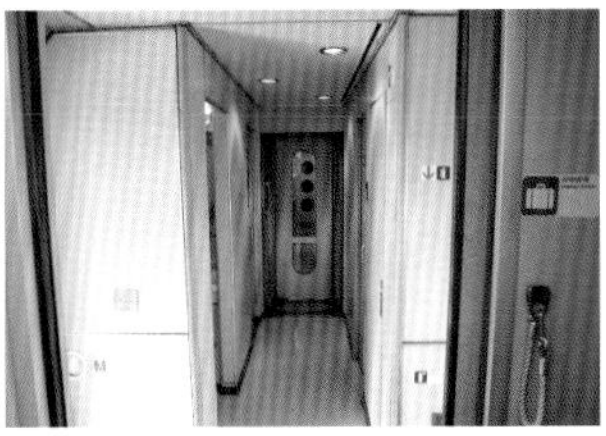

先頭車はトイレや洗面所などが備わっている

ひだ用のデッキ仕切りはアイボリーだ

キハ85の1100番台は乗車時のデッキの広さに驚かせられる

1100番台のデッキ

バリアフリー対応で多目的トイレなどが増設された車両はデッキの様子もかなり変化している。とくにキハ85の1100番台は客室の一部を延長させデッキにしているうえ、洗面所の仕切りがカーテンとなり、開放されているタイミングも多いので、広々とした空間となっている。

ドア横すぐに車椅子対応の洗面所。仕切り板もないので開放的だ

デッキの色自体もシックな色合いに変化している

本来あった機器箱やゴミ箱なども枕木方向ではなく線路方向に取り付け

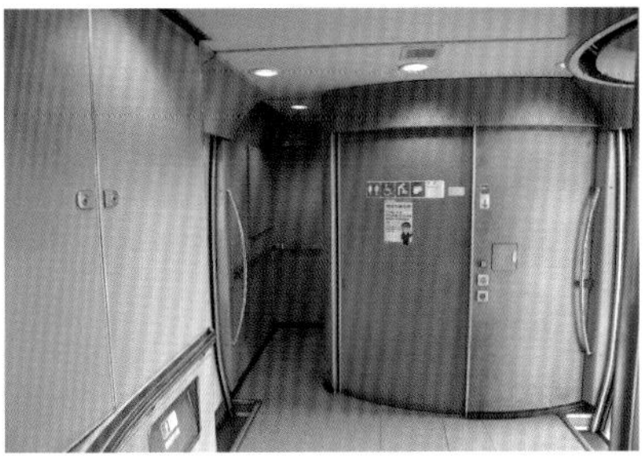

細かいところまでしっかり見ていこう

キハ85の床下機器と屋上機器

床下機器に注目

キハ85はJRで初めてカミンズ製のエンジンを搭載した気動車だ。各車両にハイパワーエンジンを2基搭載することにより、120km/h対応を可能とし、電車並みの性能を有する車両として名を馳せた。特急ひだもキハ82からキハ85に置き換えることで、大幅な時間短縮を実現させた。エンジンはJRではDMF14系としてまとめられ（カミンズ形式ではNTA855-Rと呼称され、のちにJR方式に改まりN14-R系列と呼ばれる）、JR東海のみならず、JR東日本のキハ110や国鉄型気動車の機器更新にも用いられたほか、HC-85系の発電エンジンにも派生系ではあるがDMF14が採用されている。

そんなハイパワーで高性能なエンジンを床下に有するが、床下は引退まで機器更新などはされず、登場時とさほど変化の見られない車両となった。また、床下機器は車端部を除いてほぼ同じ配置となっているのも特徴の一つ。2エンジンゆえのギッチリした床下機器のディテールを見ていこう。

エンジンはそれぞれの台車近くに集約されている。手前に見える赤い蓋の角張った機器は燃料タンク

向き的に上の写真と反対側の床下機器。一部機器配置は異なるがレイアウトはよく似ている

台車はキハ185の発展系

台車はこの当時ではおなじみのボルスタレス台車を採用している

キハ85の台車はボルスタレスを採用。キハ185に採用されていた台車の発展系で形式名はC-DT57。120km/h対応のためにヨーダンパが取り付けられている。駆動は1軸で写真では右側の車輪が駆動する。

床下機器の追加加工に挑戦しよう!

床下機器はグレー1色ではなく、配管などは色分けされて設置されている。とくに放熱機周りの配管はバルブなどが青く塗られていたりと、模型を塗ったらアクセントとなりそうな雰囲気だ。ただ、これらの配管周りはNゲージの製品では省略されているので、再現するには加工が必須となる。

放熱機周りの配管はにぎやかでカラフル。配管の引き通しも正面と反対側では異なっているのでこれらにも注目だ

エンジン周りは意外に塗り分けられている箇所は少なく、機器の奥に隠れるように配置されており、エンジン自体があまり目立たない

ひだと南紀で異なる屋上機器

キハ85の屋上機器は換気装置、クーラー、水タンクの3種類に大きくわかれる。クーラー自体は全車同一だが、特急ひだ用は換気装置と水タンクの形状が角形になっており、先行量産車では換気装置のルーバーの数が多くなっているほか、手すりの向きが異なるといった違いが見られる。

一方の特急南紀用の換気装置と水タンクは角の丸い仕様を採用し、ひだとは変化が見られる。クーラーの機械自体はひだ用と変わらないが、冷房装置のすぐ脇にあるダクトの形状に違いが見られる。

屋上機器は配置こそ違えど基本的には同一内容。左から換気装置、クーラー、クーラー、換気装置、水タンクといった配置だ。写真はひだ用で角形

クーラーは当時の気動車で見かけるAU26だ

ひだ用の換気装置は角形

トイレのある車両のほか、キハ84-200の車端部には水タンクが設置されている

機能は同じだが外観の変わった南紀用の換気装置。右側にルーバーが見える

南紀用は水タンクも同じく丸型になっている

屋根上の手すりのバリエーション

屋根上に登る際には手すりが必要となる。妻面に手すりが付いている場合は屋根の車端部にも手すりが備わる。一般的な鉄道車両と同様、基本的にキハ85でも車端部の屋根に2本の手すりが備わっているのだが、一部車両は屋上機器が端にまで寄っているため、そういった車両に関しては手すりは1本のみとなっている。また、特急ひだ向けの車両はクーラー以外の機器に手すりが取り付けてあるので、完全再現を目ざす方は頑張ろう。

手前は屋上機器がないため一般的な鉄道車両同様に手すりが2本。奥は屋上機器が迫っているので手すりが1本。水タンクや換気装置にも手すりが見える

先行量産車も同様に屋上機器に手すりが備わるが、こちらは縦方向になっている

固定編成ではないが組み方には規則あり

キハ85 特急ひだ 編成例

基本編成を先頭にやってきた特急ひだ。増結などもない通常編成の組み合わせで7連の組成だ

数多い気動車特急のなかでも、キハ85で運用される特急ひだは先頭車を中心に編成が組まれる、いわゆる変則編成が多い列車としても有名で人気を博していた。一見すると適当に繋げたかのような編成になったりするのだが、特急列車なので指定席車やグリーン車については定員のそろった車両を充当させる必要があるほか、多層建て列車ゆえに先頭車の連結位置や向きなども固定しなくてはならない。運用自体も一定のルーティンが組まれているので、その行程をこなせるようにしっかり考えられた編成の組みかたがされている。ここでは特急ひだの晩年に見られたオーソドックスな編成を見ていこう。

特急ひだの編成は大きくわけて名古屋発着の基本編成とも呼ぶべき4両編成、大阪発着の3両編成、富山まで延長運転をする3両編成で構成される。編成の概要は下記のとおりだ。

組み合わせて長編成

特急ひだの編成組み立て

特急ひだの多くは4両の名古屋編成(基本編成)に大阪編成か富山編成を連結し、長編成となって運転していた。通常時は4+3の7連が最大編成なのだが、さらに200番台を中心にキハ85 1100番台なども増結に加わり、多客時には10連での運用も見られた。

←岐阜／大阪　　高山·富山／名古屋→

名古屋編成(基本編成)

キハ85-0 or 200	キロハ84	キハ84-0	キハ85-1100
キハ85-0	キハ84-200	キハ84-0	キハ85-1100

富山編成

キハ85-1100	キハ84-300	キロ85-0

大阪編成

キハ85-0	キハ84-0	キハ85-1100

P.8で取り上げたサイドビューと同じ編成。手前4両が基本編成で奥の3両が富山編成だ

キハ85-11	キロハ84-3	キハ84-12	キハ85-1105	キハ85-1102	キハ84-301	キロ85-1

基本編成は4両。岐阜方の先頭車は非貫通顔が多いが、大阪編成との併結運用の場合はキハ85-200になる

キハ85-11	キロハ84-3	キハ84-12	キハ85-1105

富山編成や大阪編成は単独運用時に最短の3両編成となる

キハ85-1113	キハ84-304	キロ85-2

こちらは大阪編成を先頭にした編成で奥が基本編成。大阪編成が先頭だが、写真は全編成名古屋行きのひだ

キハ85-7	キハ84-8	キハ85-1103	キハ85-204	キロハ84-4	キハ84-14	キハ85-1112

先頭車がいっぱい!

特急ひだが最後に見せた超変則編成

山王祭にあわせて運転された特急ひだ81号。一般的な編成にくらべてやはり様子が少しおかしい

特急ひだのキハ85による定期運用は2023年3月17日に終了したが、その後もキハ85は臨時の特急ひだとして運転された。キハ85による特急ひだの最後の運転は2023年4月14日と15日に実施された特急ひだ81号／82号と83号／98号。こちらは高山で毎年実施される日本三大美祭の一つである春の山王祭(通称、高山祭)向けに運転された臨時列車だ。運転区間は名古屋～高山間で途中駅での増解結の運用はなく、先述した基本編成を無視した特別な編成で運転されていた。最後の最後に見せた気動車特急らしい変則編成を紹介していこう。

ひだ83号／98号

6両編成で2023年4月14日にのみ運転された変則編成

特急ひだのキハ85定期運用終了後に運転されたキハ85による臨時特急列車。この編成の特徴はなんといっても先述の基本編成を一切ベースにせず、完全にオリジナルな編成で運転されていた点にある。先頭車が6両中4両も含まれているというわかりやすい変則編成だ。また、今まで高山／名古屋方に連結されていたキロ85も、HC-85系の編成に合わせて岐阜方に連結されたのも本列車の特徴の一つだ。

キハ85-1113	キハ84-204	キハ85-205	キハ85-1117	キハ84-302	キロ85-4

←高山／名古屋　　岐阜→

高山方面の先頭を務めたのはキハ85-1113。前面には幌が取り付けられている

中間車には200番台が抜擢。83号では204が担当した

中間先頭車1両目はキハ85-205。逆向きであれば3+3の整った編成なのに、高山方面が先頭となりユニークな編成に

続いても先頭車のキハ85-1117。先頭車続きという臨時列車らしい変則編成となった

2両目の中間車は300番台のキハ84-302が担当

グリーン車はキロ85が担当。定期運用であれば高山方の先頭に立っていたのに今回は逆向きで運転された

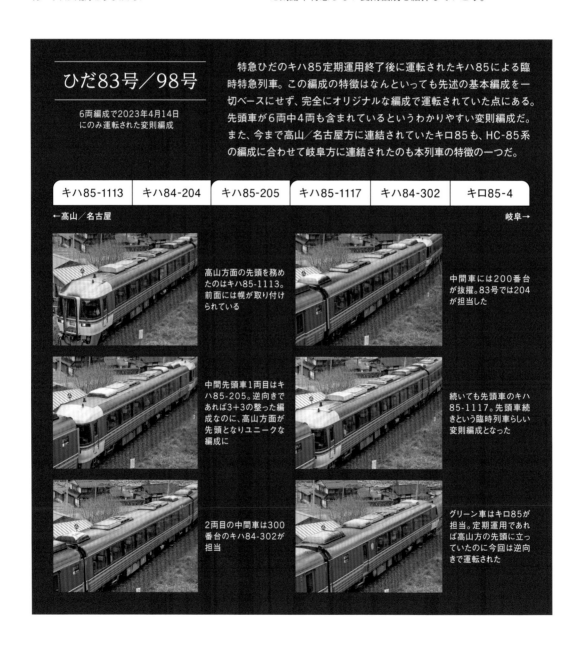

ひだ81号／82号

2023年4月14日と4月15日
に運転された8連の臨時ひだ

キハ85-1119	キハ84-14	キハ85-1110	キハ84-203
キハ85-201	キハ85-1118	キハ84-304	キロ85-3

←高山／名古屋　　　　岐阜→

8両編成で運転されたひだ81号／82号。こちらも83号同様に基本編成を完全に無視した変則的な編成で運転された。中間車が3両と全体の編成にくらべて比率が少なくなっている。キロハ84を除く全番台が編成に集約されているのもユニークだ。グリーン車も83号同様にキロ85で運用されているが、やはりHC-85系に合わせた岐阜方が先頭になるように編成が組まれている。キハ85の向きは全車が高山／名古屋方を向いており、編成内のいたるところで妻面と先頭部の接合部を見ることができた。

キハ85の特急ひだ最終運用といったアナウンスなどはとくにされておらず、出発時、鉄道ファンの見送りやお別れ乗車のお客さんなども意外に少なかった。高山駅を17時33分に発車した特急ひだ82号は、小雨の降る名古屋駅に定刻の20時02分に到着し、キハ85による特急ひだの歴史に幕を降ろした。

高山方面の先頭はキハ85-1119が担当。撮影は名古屋駅で普段は名古屋車両区から入線するのだが、この日は岐阜方からのホーム入線となった

中間車の1両目はキハ84-14。0番台車が充当された

中間先頭車の1両目はキハ85-1110。以後の中間先頭車の向きは全車高山方が先頭

2両目の中間車はキハ84-203。200番台の充当だ

2両目の中間先頭車はキハ85-201。200番台が続いた

お次の中間先頭車はキハ85-1118

最後の中間車はキハ84-304。次にキロ85が繋がるので富山編成を想起させるが、キハ85とキロ85の向きが逆だ

高山方面の最後尾はキロ85-3が担当。グリーン車は1両のみの連結でキロハの連結はなかった

最晩年は短縮化され最短の2両に

キハ85 特急南紀 編成例

特急南紀は1992年にキハ85化された。特急ひだ向けのキハ85とは異なり、シックな内装が用意された専用車で運用を開始した。キハ82時代をはるかに凌駕するスピードで名古屋〜新宮／紀伊勝浦間の時間短縮に貢献し、人気を博していた。

四日市や津などの主要都市を通る紀勢本線も、松阪を過ぎると次第に人家もまばらな地域へと突入する。かつては陸の孤島と呼ばれた地域を多く通り、閑散期はやはり乗客の少なさが目立っていた。そこで2001年からはグリーン車の連結を廃止し、基本編成に変化が見えはじめた。

2009年には再びグリーン車の連結が再開されたが、特急ひだの基本編成のような組成になり、デビュー当時の編成からは大きくかけ離れていた。

晩年は2連運用が中心であったがコロナが落ち着いた頃から増結にキハ84-300を挟んで運転されるようになった

特急南紀の基本編成

←新宮／紀伊勝浦　　　　名古屋→

1992~2001年

キハ85-0	キハ84-200	キハ84-300	キハ85-200

2001~2009年

キハ85-0	キハ84-200	キハ85-200

※200番台以外の車両が充当される場合もあり

2009~2020年

キハ85-1100	キハ84-0	キロハ84-0	キハ85-0

2020~2023年

キハ85-1100	キハ85-0

最終南紀(南紀8号)

キハ85-1103	キハ85-1110	キハ85-1118	キハ84-301	キハ85-13

最終南紀(南紀7号)

キハ85-1105	キハ85-1113	キハ85-1117	キハ84-304	キハ85-11

このままグリーン車付きの編成を維持すると思われたが、2020年のコロナ拡大による乗客の減少にともない編成を大幅に短縮して基本編成は2両に。以降、2両編成を基本編成としたまま引退を迎えた。ただ、引退間際にはコロナ対策も緩和されたほか、引退にともなう需要の高まりで、最末期は3連での運用が常態化。キハ85による最後の南紀7号／8号はともにこの基本3連にキハ85-1100番台を2両増結し、それぞれ5連で運用された。

2023年6月30日23時57分頃、途中野生動物との接触事故などにより22分の遅延があったものの、特急南紀7号は新宮駅に到着。これを以てキハ85による定期運用がすべて終了した。特急南紀の編成遍歴は左下のとおりだ。

3連化された特急南紀の編成詳細。名古屋方の先頭はキハ85-11

中間はキハ84-304。3連が常態化したあとは300番台が中間車に

紀伊勝浦方の先頭車は貫通顔の1100番台が務めていた。この日の運用はキハ85-1103

2連で運用されていた頃の南紀。手前がキハ85-1113で奥がキハ85-5だ

←新宮／紀伊勝浦	キハ85-202	キハ85-1109	キハ85-5	名古屋→

3連化が常態化する以前にもコロナ禍で3連増結の運用は見られた。写真はキハ85-200が増結を担当

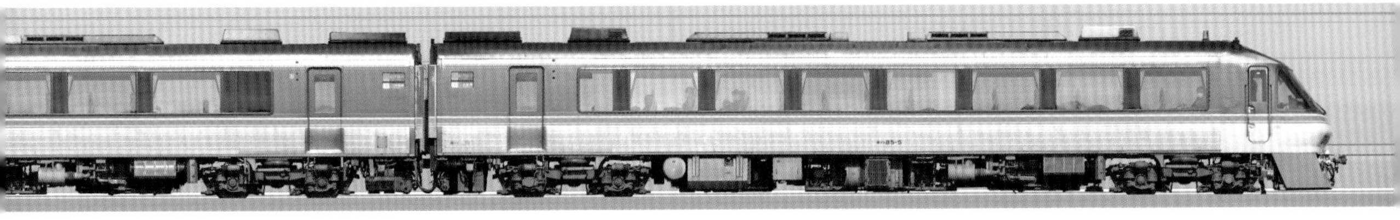

山と海の情景で遊べる

情景 キハ85 探訪

車両運用などで紆余曲折はあったものの、キハ85はデビューからずっと同じ路線、同じ列車で活躍し続けた。車両を走らせたり、飾ったりするのであれば、情景などもほしいところ。キハ85が走り慣れた高山本線と紀勢本線でも、様々な角度で見ても絵になる情景をピックアップ！

山と川に囲まれた情景の中を走る高山本線。迫力あるシーンも多く展開されている

《 特急ひだが走り抜いた鉄路 》

山岳路線の高山本線

高山本線は岐阜駅を起点に富山駅までを結ぶ山岳路線で、岐阜から高山の2駅手前の久々野までは木曽川とその支流の飛騨川、そして久々野の1駅先、飛騨一宮から富山までは神通川（高山市のあたりは上流域なので宮川とも呼称される）沿いを走る。

いずれの川も峡谷の地形を形成しており、線路はその峡谷に沿うように走ったり、峡谷を長い鉄橋で跨いだりするので、ダイナミックな情景を走る区間が多い。高山本線といえば沿線にダムが多いことでも知られ、ダム湖の脇を走るシーンも有名だ。もちろん、ダム湖のおとなしい水面と鉄橋や築堤の組み合わせも模型映えする情景ではある。だが、今回は荒々しい岩場や川を渡らない鉄橋にロックシェッドなど、より模型映えする要素がギュッと詰まった飛騨小坂～渚間の情景を紹介していきたいと思う。

上の写真を引いてみるとすぐ手前には飛騨川が流れている。左奥にはこの川を渡る鉄橋も見える

左の写真を撮る前は奥の鉄橋でも撮影。ちなみにこの鉄橋はP.32の紅葉をバックに走る特急ひだと同じポイントだ

左ページの写真とほぼ同じポイントでカメラの向きを変えると違う鉄橋でも撮影できる。このキハ85も左で撮影した特急ひだとまったく同じ列車だ

モデラー視点で見てみよう

情景をつくる際に重要なのは雰囲気づくりだ。情景を寸分違わず再現するというのも一つの手段ではあるが、市販品の線路などを用いる場合はデフォルメなどは必須だし、スペースの確保などの観点からもなかなか難しい。また、スケールどおりつくってしまうと実物より間延びした雰囲気になってしまうもの。情景をつくる際は実際の情景のイメージをギュッと凝縮させ、様々な要素を盛り込んでいく構成力も必要となってくる。まずは、その要素などを見ていこう。

落石を防ぐために敷設されたロックシェッドは鉄道写真を撮る際は被写体になりにくい。だが、模型ではこれを組み込むことでリアリティが増す

撮影箇所は旧道の歩道から。情景でも広くつくる場合は道路やその擁壁なども入れる必要がある

鉄橋以外の区間は岩や木々に隠れている箇所も多い。川の色にも注目だ。水深が深いところはきれいな常磐線のようなエメラルドグリーンになっている

小学校でも習うと思うが、川は曲がっている箇所では、内側は流れが遅く川原に、逆に外側はゴツゴツした岩場になる。その差もしっかりつくり込んでおきたい

・鉄橋や擁壁などに注目しよう・

鉄道施設は情景のいいアクセント

実際の鉄橋などの鉄道施設は、地形に合わせて橋脚を設置したり護岸工事を実施したりするので、自ずと地形に沿った人工物となる。これらを模型で再現するとなると市販品を組み合わせつつ一部自作するか、もっとこだわるタイプの方はすべて自作で再現することとなる。これらを完全再現となるとかなりハードルも高くなってしまうので、自分の技量に合わせていろいろチャレンジしてみよう。

厳しい自然の中を走る山岳路線は人工物が多くなる

模型でも落石と雪崩の対策を！

飛騨小坂～渚間は山際に岩肌が露出している区間もあり、線路を落石から守るロックシェッドや擁壁などが見られる。また、豪雪地帯特有の雪崩を防止するための柵も線路沿いに見受けられる。これらも一部は市販品などが使えるが、なければ自作などする必要があり、なかなかハードルは高そうだ。なにはともあれ、まずはとにかく雰囲気重視でそれらしくつくっていくことが大事だ。

ロックシェッドは鉄骨を組み合わせたもの。カーブもしているし、実物どおりつくるとなると難しそうだ

ロックシェッドは石垣の築堤の上に設置されている。石垣も後年の工事でコンクリートの擁壁が追加されているのがわかる

ロックシェッドの近くは擁壁と雪崩防止柵。擁壁は石垣からコンクリートで追加工事がされているのがわかる

ロックシェッドの上は木々で若干見えにくいが岩肌が露出しているのがよくわかる。山肌は木々で覆うだけでなく、こういった表現をすることでリアリティがぐっと上がる

連続する「川を渡らない」鉄橋

崖に沿って走っているため、一部区間では地形を越える手段としての鉄橋が敷設されている。鉄橋自体はNゲージでもよく見かけるガーター橋で、地形に沿って線路が敷設されているため、鉄橋はその地形に合わせてカーブしている。鉄橋のすぐ脇は崖となっており、橋脚の一部が崖の擁壁と一体化している箇所もありユニークだ。崖の下は急流の飛騨川が流れているので、護岸工事もされており、鉄橋一帯はコンクリートの建造物がまとまっている。

KATOのカーブ鉄橋セットを用いるなどすればカーブしている鉄橋を再現できそうだが、橋脚は市販品を併用するにしてもなかなか難しい課題になりそうだ。

鉄橋は地形を越えるために敷設されているので、川を渡らないケースも見られる

ロックシェッドを越えた鉄橋は橋脚の土台が護岸工事されており、橋脚周辺がすべてコンクリートでできている

鉄橋の手前の区間は石垣の築堤が展開している

繰り返し護岸工事がされている箇所だけあって、川も流れが急で大きな岩も多く見受けられる

ロックシェッド手前の鉄橋は、崖の法面に橋脚が埋まっているのがわかる

同じ鉄橋の近くでは護岸工事もされず、自然の岩が残っている箇所も。川の表情も短い距離でかなり変わってくる

コンクリートの擁壁を見ると点検路につながるハシゴが架けられている

きれいな新鹿海岸を背に走る特急南紀。車窓からもこの海がよく見える

特急南紀が走った海のある風景

海沿いを走る紀勢本線

新鹿駅近くを走る特急南紀。左に見える海が上の写真と同じ海岸で、この写真右奥が、上の写真を撮ったポイントになる

紀勢本線といえばやはり海沿いの風景！ と思われる方も多いと思うが、特急南紀の走る名古屋〜新宮／紀伊勝浦間のうち、名古屋から紀伊長島までは車窓からチラッと海が見える程度で海沿いを走るというイメージはない。

特急南紀の海沿いの景色は紀伊長島から先が本番で、紀勢本線は海沿いの集落を結ぶように線路が伸びており、海沿いの景色が展開される。紀伊長島からも海沿いながらも起伏が多く、山とトンネルに囲まれた景色が続くため、海のほか山の情景も必要となってくる。今回はそんな山と海に囲まれた紀勢本線のなかから、日本で一番きれいな海水浴場と呼ばれることもある新鹿海岸を背に走る新鹿駅付近の情景を見ていきたい。

モデラー視点で見てみよう

今回撮影した新鹿海岸付近は集落を走っており、ところどころに民家が点在している。また、後ろにはすぐ山がそびえており、起伏の多い地形となっている。線路の脇は生活道路のような細い道で（じつはこの道は熊野古道である）、トンネルで紀勢本線を潜るルートになっている。

模型で再現する場合、背景の海まで完全につくり込むとなると広大なスペースが必要になってくるので、パースなどに気をつけつつ、背景板などで再現するのがよさそうだ。

線路は切通しのようになっており、切り通しの上には民家が点在している

生活道路から撮影ポイントを望む。トンネルの上が撮影ポイントだ。苔や雑草でわかりにくいが、線路のまわりの法面はブロック積み擁壁、コンクリート擁壁、モルタル・コンクリート吹付擁壁の3パターンになっている

民家は傾斜地の地形に沿って点々と建ち、道路はそれに合わせて曲がりくねっている

集落には空き地も目立つ。奥には海も見えるはずなのだが、雑草などが生い茂り見通しがよくない

トンネルはいたって普通のコンクリートポータル。雑草がよいアクセントになっている

トンネル上部もモルタル・コンクリート吹付工法による擁壁だ。道路が急斜面かつ急カーブなのも見て取れる

水田のスペースは小さめ。模型で再現するにはちょうどよいサイズ感だ

棚田と海とアーチ橋の欲張りセット

新鹿の海が見渡せるもう一つのポイントを紹介しよう。新鹿駅寄りの棚田から眺める景色だ。この棚田に通じる道とその脇を流れる小川を跨ぐアーチ橋があり、さらにその背景には新鹿海岸が広がるという、鉄道模型映えする風景が展開されている。

情景をつくる際は奥に広がる海を背景板で再現し、ジオラマなどのベースを手前に配置して線路を見下ろすようにするのがよさそうだ。取材時はさながら休耕田のような雰囲気であったが、模型ではしっかり水を張って田植え時の風景にしたり、収穫時期の景色にしたりと、お好きな情景に仕上げるといいだろう。

棚田は線路のすぐ脇にそびえる。石積みだ

特急南紀の有名撮影地の一つ。右下にチラッと見えているのがコンクリートのアーチ橋だ

生活に溶け込んだコンクリートアーチ橋

鉄道橋には様々な種類があるが、新鹿の棚田の近くにある鉄道橋はコンクリート製のアーチ橋となっている。この橋は棚田から流れる小川とその脇を通る小路を跨いでおり、模型的にも映えそうなスポットだ。肝心の小川は周囲が雑草に覆われてしまい、水面はわずかに見える程度なので、模型では再現しなくてもいいような気もする。メインのコンクリート橋はTOMIX製のアーチ橋がそのまま使えそうな雰囲気だ。実物は緩やかなカーブになっているが、そのあたりは直線にアレンジしても問題はないだろう。

立派なコンクリートアーチ橋。アーチ橋の手前にはかつて民家があったのだろうか、立派な石垣が残っている

棚田と線路に挟まれた道の先にアーチ橋がある。線路は高さを変えず築堤になって橋へ向かう

線路脇の細い道を下りていくとアーチ橋とご対面。棚田側には作業員用の待避スペースなどもなく、シンプルな見た目だ

作業員用の待避スペースの床材は実物だと網状になっている。TOMIXのアーチ橋では穴の抜けていない板になっているので、完全再現するには金属メッシュに交換するなりしよう

アーチ橋の根本と道路は一体化している。左手は川のはずなのだが、雑草が生い茂りその様子が伺いにくい

アーチ橋手前にも民家が点在し、集落を通っているのがわかる。写真右手後方に棚田がある

キハ85

さあ、挑戦してみよう！

ディテールアップのヒント

模型をよりリアルに魅せるには加工が必須。
だが、それぞれの好みやセンス、
さらに自分が今、
発揮できるスキルなどいろいろな要素が絡み合ってくるので、
一概にこうしましょう、と提示するのは難しい。
ここではディテールアップのヒントとして、
キハ85のNスケールを用いた一例を紹介したいと思う。
使用するのはKATOのプラ製品。
古い規格の製品なので気になる箇所は多めだ

KATOの製品は幾度となくリニューアルが繰り返されているが基本設計は変わらず。どの年代の製品でも参考になるはずだ

立体感に欠けるのでなんとかしたい

スカート周りの加工

非貫通顔のスカートはエアホースが省略されているし、貫通顔のスカートはカプラーの可動域を確保するため欠き取り箇所が大きく実感的でない。製品の開発時期を考えると仕方のないことだがやはり修正を加えたい。

まずは非貫通顔のスカート。市場在庫の状況にもよるが、各サードパーティーメーカーがエアホースのパーツを製品化しているのでそれをつければ解決だ。在庫があったらストックしておくと便利だろう。今回はトレジャータウンの新製品を使用した。エアホースを塗装して穴をあけて接着するだけなので簡単だ。

一方、貫通顔のスカートは製品の開口部を埋めるようなパーツは出ていないので、今回はプラ材で加工することにした。エバーグリーンという建築模型用のプラ帯材を切り出して貼り付ける、といった工程を実施した。帯材は3.2㎜幅で厚みは0.5㎜のものを使用。エバーグリーンの帯材は各種サイズをストックしておくと模型加工の時短につながるのでオススメだ。

写真では未塗装の状態で使用しているが塗装すればより格好よくキマる！

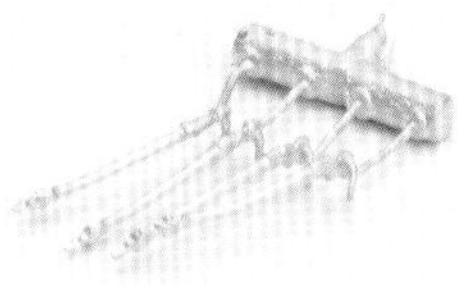

エアホースはトレジャータウンのものを使用した。ロング版しか入手できなかったので少しホースがダボっているが、通常版ならもっと引き締まるだろう

スカートはプラ帯材を加工する。可動するカプラーを用いる場合は干渉する箇所を削っていく必要がある

左が加工品で右が製品のままの状態。プラ材を切り出して黒い瞬間接着剤で周囲を固めて削った。細かい隙間を埋めて塗装すれば完成

大きなライトを実感的なサイズに

全塗装を避けて加工したい

最小限の加工でライトケースを小さくしてみた。ヤスリを使うと修正箇所が増えてしまうのでカッターのみで加工。少し気になる点もあるが及第点ということで……

KATOのキハ85はライトの開口部が大きい。この製品を見慣れすぎて、むしろこのサイズが正しいのでは？ と思ってしまうが、修正すると引き締まって格好よくなるので加工したい。ただ、実際に加工を施すとなると再塗装などが必要になりかねないので、今回はとにかく修正箇所を極力抑えた加工を紹介する。ヤスリを用いると修正箇所が増えるので、カッター捌きがものをいう加工になる。そのため難易度は意外に高め。一度Assyやジャンクでボディを探して練習しておくことをオススメする。

作業はスカートのところで紹介したエバーグリーンの帯材を切り出し、ライトの上下に貼り付けて再塗装、といった流れとなる。使用した帯材は0.75mm幅で0.25mm厚のもの。これをライトケースの幅に切り出し、流し込みで速乾タイプのプラ用接着剤を接着箇所に流し込んでカッターで切り出す。この際、高さがボディと合うように切り出すときれいに仕上がる。ただ、隙間がどうしても生じてしまう。慎重に調色したボディと同色の塗料を流し込んで、はみ出したらカッターで削って……という作業を繰り返せば実感的なサイズのライトに生まれ変わる。

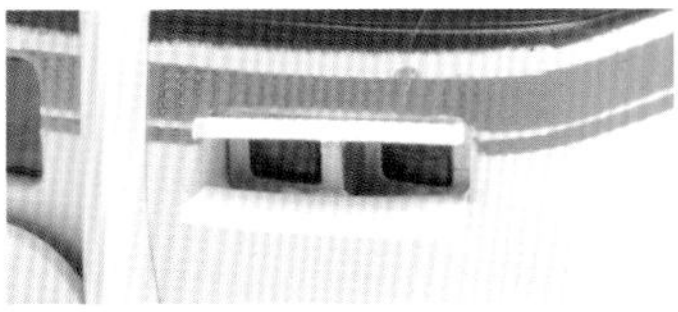

加工方法はプラ帯材を切り出して接着するというもの

カッターで少しずつボディの形状に合わせて切り出していく

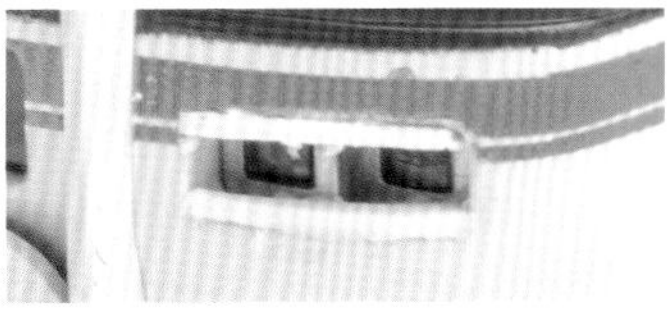

紙ヤスリは使えないので、カッターでとにかく慎重にボディとの高さを合わせて削る。うまくいったら塗料を慎重に流し込んで隙間を埋めて完成

別パーツ化しなくても大丈夫

筋彫りで屋上機器を立体的に!

プラ製品ではコストカットなどのために屋上機器を一体成形で製品化することが多い。射出成形の関係上、出力位置にもよるが、くぼんだ形のものは出力しにくく、一部パーツは溝などが省略されて出力されてしまう。極力、誤魔化された形状で設計されているので、見る角度によっては気にならなかったりするのだが、リアリティを求めるのならばその隙間も再現したい。

もっともメジャーな屋上機器の別パーツ化の手法は、当該箇所を切り落としてディテールアップされたパーツに置き換えるというもの。これらのパーツはサードパーティーメーカーから販売されていることも多い。ただ、キハ85に関しては屋上機器はクーラー以外、使用できる製品がない。なので、今回はプラモデルなどで見られる筋彫りで立体化することにした。使用するのはケガキ針とカッター、薄刃の筋彫り用のカッターだ。これら各種工具は山ほどあるので、自分の使いやすいものを入手して作業しよう。

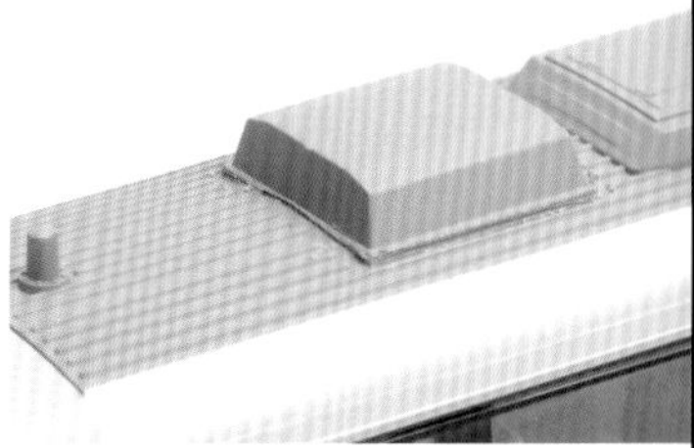

カッターで筋を彫れば立体的になる。下地塗装前の状態なので、これから傷を確認して調整していく

側面側は彫る高さが感覚的に0.3mmほどありそう。こちらは大胆にケガキ針で彫っていく

前面側は彫る箇所が細い。一度カッターで彫る箇所を傷つけ、薄刃のカッターが真っ直ぐ引けるようにガイドをつくる

あとはガイドに沿って薄刃のPカッターなどで削っていく

重加工が必要になるが効果は大

エッチングパーツでさらなる高みへ

KitcheNからはキハ85のドア周りや、転落防止幌と同時に変更されたステップなどが製品化されている

細密化や立体化などで必須となるのがエッチングパーツ。製品で省略されている箇所を補完したり、仕様変更を再現する際もエッチングパーツが活躍する。キハ85に関連するエッチングパーツは地方私鉄などに強いKitcheNというメーカーが手がけている。ただし、市場に製品が出回りにくく、メーカーに直接メールで問い合わせて購入するという個人販売に近い購入方法になる。

エッチングパーツの中身はコレ!

KitcheNのキハ85用のエッチングパーツはキハ85乗務員扉、キハ85排気管カバーとなっている。前者はドアノブが増え、水切りが増設された姿を再現できる乗務員扉と、おまけで通常の乗務員ドアに加え通常の客扉とキハ84-200用のドアが付属。後者の排気管についてはメッシュ地の排気管を表現するパーツのほか、KATO製品で省略されているドア周りのモールドや手すり、さらに先行量産車用のルーバー、行き先表示器を拡大するための穴をあけるガイドなどが付属している。

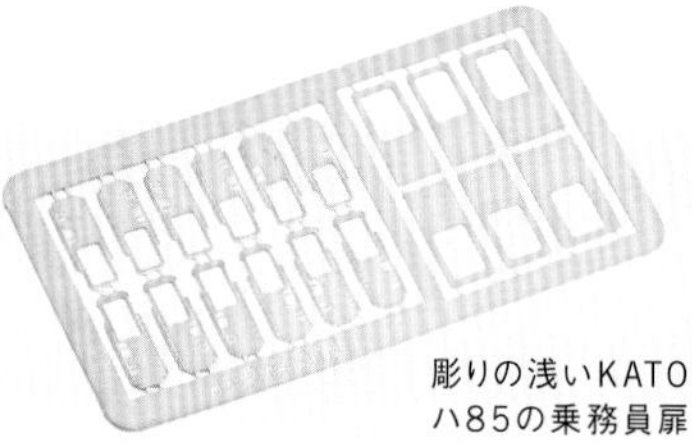

彫りの浅いKATOのキハ85の乗務員扉を交換するのにちょうどよい

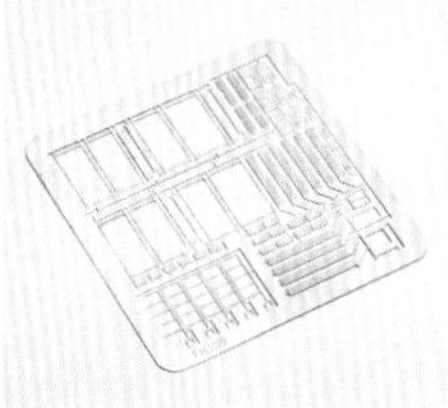

製品名は「キハ85排気管」だが、ほかにもおまけパーツがいろいろ

エッチングパーツをつけてみよう

エッチングパーツはもとのモールドを削ったり、決まった場所に穴をあけるなど、車体に直接加工する作業が必須となる。また、今回はドア周りの枠など薄いパーツの貼り付けなどを実施するので難易度の高い加工が自ずと増えてくる。

実際にドア交換をしてみると非常に苦労した。製品ではドア横の手すりなどと一緒につくられているが、エッチングパーツを取り付けてみるとパーツと車体の高さが合わなかったり、ボディそのものの切り出し具合が悪く不恰好になり、それを修正するとモールドが埋まったり……。自分の作業精度の悪さもあるのだが一筋縄ではいかないパーツだった。一度手すりなどのモールドを削り落としてドアを交換し、残った手すりは真鍮線などで後付け、といった方法がよさそうだ。この加工もあくまで一例なので、自分のやりやすい方法を見つけよう!

妻面のハシゴはエッチングパーツを折り曲げて取り付けるので精度が必要だった。排気管は床下まで伸びるパーツなので、作業工程の終盤に取り付けたほうが事故が少なくなる

KATOの製品では省略されているドア枠とリブ。リブは0.1㎜厚のプラペーパーを細く切り出して車体に貼り付けている

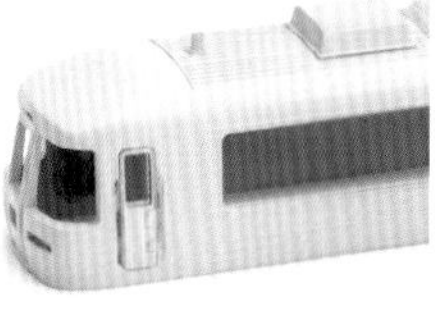

乗務員扉は周りのモールドを削ってから貼り付け。手すりは車体の塗装が終わってから後付け予定だ

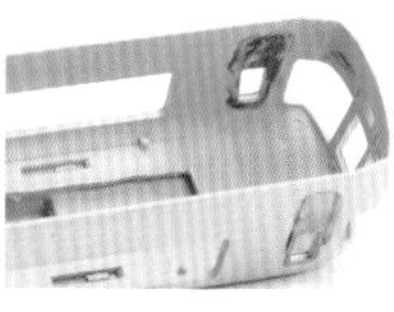

乗務員扉は薄く、前面窓から覗いたとき段差が見えて不恰好になる。プラ材と黒い瞬間接着剤で固めて裏から補強した

酷寒に対応した高出力気動車特急

キハ183

≪ 国鉄から形式を引き継いだ新特急 ≫

国鉄型気動車特急のキハ80系は、お世辞にも高性能とは呼べず、兎にも角にも遅かった。高速道路の整備などにより迫りくるモータリゼーションの波に打ち勝つために、国鉄では高出力の気動車を開発する必要があった。そこで本州では1968年からキハ181が導入され、このキハ181に酷寒対策を実施したのがキハ183だ。

キハ183は1979年に試作車を登場させ1981年から営業運転を開始。以後、様々な運用に対応できるようにいろいろな仕様の車が出現した。1986年には国鉄民営化に備えて仕様を大きく変更したN183系こと500番台／1500番台が誕生。塗装も従来の国鉄特急色をやめ、当時流行だったストライプ塗装を採用した。民営化後はマイナーチェンジ車のNN183系こと550番台／1550番台が登場。また、当車をベースとしたジョイフルトレインなども新製され、北海道を離れ九州でもキハ183の形式を採用した観光列車も登場している。

一時は北海道の特急列車のほとんどをこの車両でカバーするほどの代表的な形式であったが、時代の波にのまれ2023年に営業運転を終了。本書ではキハ183の最晩年に活躍していた頃の主要番台車を取り上げていく。

キハ183 サイドビュー

引退間際のキハ183のサイドビューに注目。季節柄、雪というか氷が付着してしまっている。側面がかなり波打って見えているが、これは逆光と雪の反射があいまって強調されているだけ。感覚的な話で申し訳ないのだが、ここまでベコベコな印象は受けなかった

DATA FILE

大雪2号　網走発旭川行き

← 網走／旭川　　　遠軽 →

キハ183-1501	キハ182-7551	キロ182-7552	キハ183-9562

2023年2月21日撮影

キハ183-1501　キハ183-1501は国鉄時代に登場したN183系の先頭車。高速運転対応工事車ではないので原番のまま

キハ182-7551　登場時の番号はキハ183-551。550番台なのでNN183系だ。1994年に130km/h対応とするためブレーキの強化を実施して2550番台に。2013年の重大インシデント後は2014年から機器更新を実施し7550番台に

キロ182-7552

登場時はキロ182-502。1994年の130㎞/h対応工事の際、エンジンの出力も増強され550番台と同等の性能になったので2550番台に区分。
その後、同様に機器更新を実施し7550番台となった

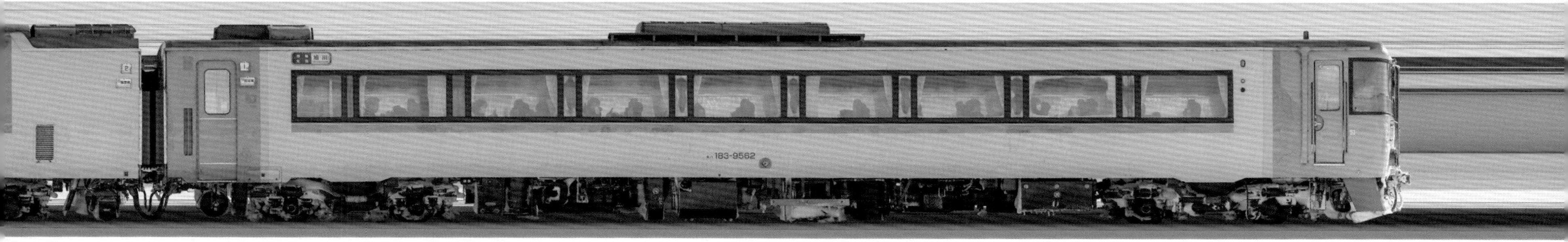

キハ183-9562

登場時はキハ183-1562。こちらも1550番台なのでNN183系。
120㎞/hと130㎞/hどちらも対応できる仕様で4550番台となり、同様に機器更新で9550番台となった

キハ183 サイドビュー

前ページの大雪2号から戻ってきた大雪1号。旭川では基本的に車両変更などはなく、同じ編成で戻ってくる

キハ183-9562

順光側なので、車体の歪みは目立たなくなったが、それでも外板の痛みはよく目立つ。
ところどころ塗り直してありパッチワーク状になっている

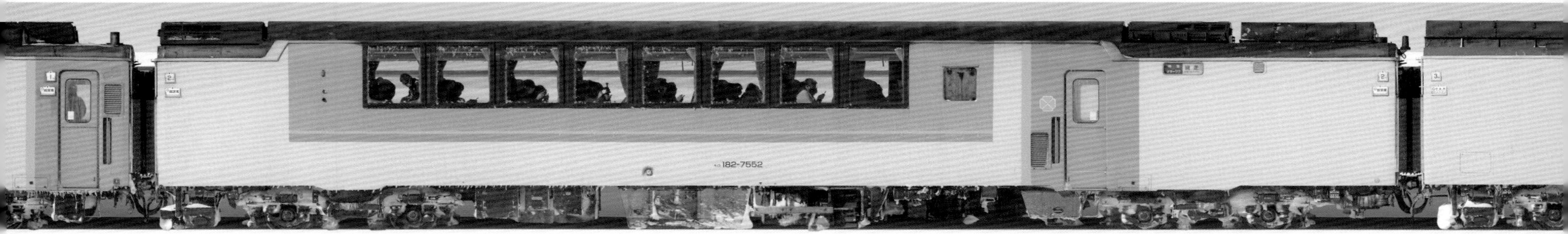

キロ182-7552

N183系／NN183系といえばやはりハイデッカーグリーン車。短い4両編成内に収まるとその存在感は際立つ

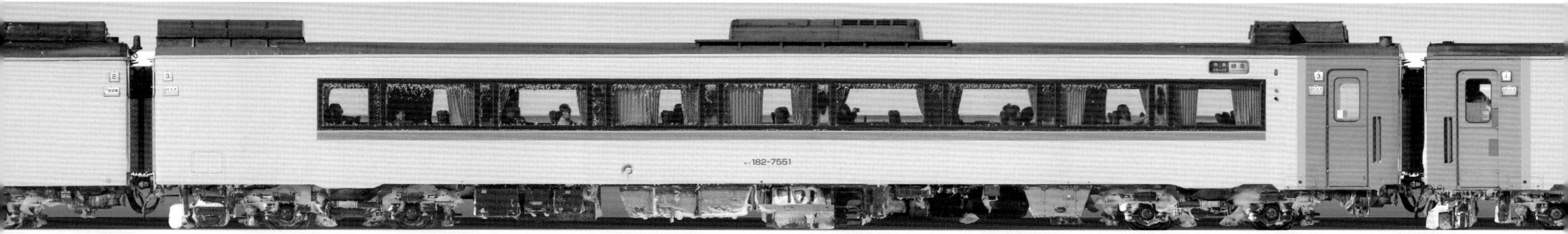

キハ182-7551

天気は快晴ながらも窓ガラスにまで氷が貼り付いており、過酷な環境を走っていることを改めて実感させられる

キハ183-1501

キハ183-9562も補修の跡がかなり目立っていたが、こちらは塗装が完全に剥がれ落ちてしまっている箇所も

国鉄らしいデザインを継承しつつ、まったく新しい姿に生まれ変わったN183系

晩年に活躍した主要な番台を見ていこう

キハ183 車両別データファイル

キハ183は多くのバリエーションを有しており、一般車のほかに北海道や九州の観光列車にも採用されていた。一般車でも長編成を組む際の電源車や中間運転台車、ダブルデッカーなど様々な車両が存在し、さらに機器更新などで番台区分がなされている。今回は北海道で晩年に活躍していた主要な車両を取り上げていく

国鉄型の生き残り

キハ183 1500番台

国鉄時代の1986年から登場したN183系の先頭車で、登場時は500番台車と1500番台車の2系統が存在。当初は500番台車がトイレと洗面所付きの車両、1500番台は全室客室の車両となっていたが、1501～1503は特急サロベツ用に改造された際にトイレと自販機の設置工事が実施され、客窓が数枚埋められる姿となった。500番台と1500番台ではサービス電源用のエンジンの有無などの違いもあり、500番台車はこのエンジンを有しておらず、1500番台は走行用エンジンと発電機用のエンジンを2基備えたダブルエンジン車といった違いもある。

国鉄時代の車両ということもあってか、最晩年では1501と1503のみが残り、500番台車は2019年に廃番台となっている。また、500番台のうちキハ183-507はキハ183-6001に改造された。こちらは6000番台車のお座敷気動車で1999年から運用を開始した。ほかにキハ182-6001(元キハ182-514)、キハ183-6101(元キハ183-1557)が存在し、専用塗装をまとって3両で独立して運用され、定期列車に紛れて運転される姿も見られた。中間車のキハ182-6001が廃車された2015年頃からは塗装がHET色に戻され、本来のお座敷運用からも外され、同じキハ183の回送時の牽引車としての運用が多く、さながら事業用車としての役割を担っていた。500番台車の流れをくんだキハ183-6001もキハ183-6101とともに2022年に廃車となっている。

トイレ増設などにより外観に大きな変化が生じた元サロベツ車のキハ183-1500

台車はボルスタレスを採用。写真は走行用エンジン側の台車かつ1500番台車なので片軸駆動のDT53形

N183系の特徴の一つは、屋上機器が多く、にぎやかな点にある。また、ランボードが青いことにも注目だ

妻面は転落防止幌の取り付けはなされなかった

妻面にもルーバーはなく、貫通路上のルーバーは完全に埋められている

最晩年はサビも目立ち満身創痍といった雰囲気だった

民営化後に登場したNN183系の先頭車

キハ183 1550番台

民営化後に登場したNN183系にあたる550番台の先頭車のキハ183 1550番台。当番台はサービス電源用のエンジンと走行用エンジンを有した2エンジン車だ。トイレや洗面所の設備はなく、N183系では1500番台に区分される仕様の車両となっている。また、N183系では500番台に区分される、サービス電源を持たず、トイレなどの装備を有した550番台車のような車両は存在せず、全車が1550番台で登場している。

1500番台と1550番台の違いはマイナーチェンジといった感じ。搭載エンジンそのものは同じなのだが、エンジン周辺機器であるインタークーラーを増設し、出力増強を実施したほか、変速機ギア比の変更、ブレーキの強化、台車にヨーダンパを増設するなど、走行機器に違いが見られる。

外観では車体こそ客ドア横にルーバーが設置されている以外はほぼ同一設計になっているが、屋上機器は従来のベンチレーターを廃止し、先代のキハ183で装備していた新鮮外気取入装置を再び採用し、すっきりした屋根周りとなっている。

後述するが、1550番台は紆余曲折あって番台区分が増えすぎた。写真は1550番台で唯一改番されずに引退したキハ183-1555

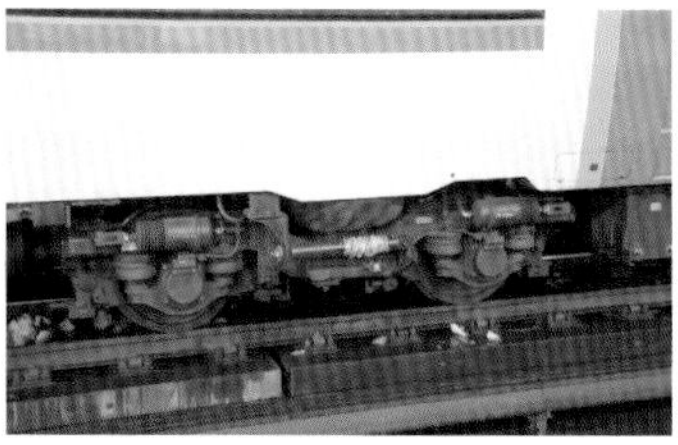

ヨーダンパが増設された台車。緑色のカバーがアクセントだが、検査のタイミングによるものか、カバーのない車両もごく稀に見られる

北斗に使用されていたキハ183-9650の台車はカバーがない状態で運用されていた。最晩年の運用ではしっかり取り付けてある

アンテナや信号炎管類の配置。アンテナの配線は運転席側に収納される。写真はキハ183-9562

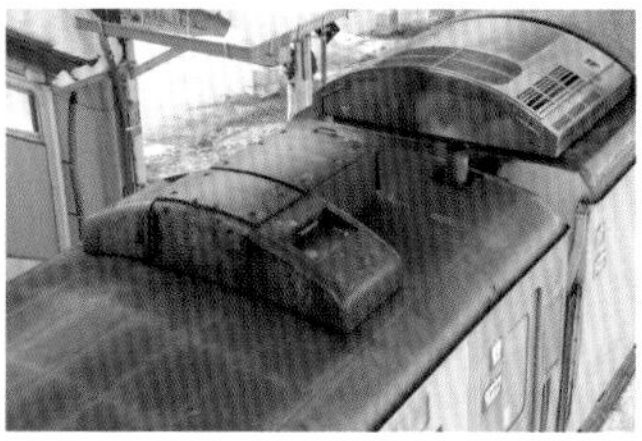

N183系で採用したベンチレーター方式ではトンネル内で煤煙が車内に入り込むことがあった。そのため基本番台で採用していた新鮮外気取入装置を再び装備している

車体の外観はさほどかわらないNN183系。写真はキハ183-9560

NN183系のディテールに注目

車体こそさほど変化の見られないNN183系だが一番の違いは屋根上だ。このほか客ドア横にはルーバーが設置されている。また、キハ183は登場時には妻面にも外気取り入れの通風口が設置されていたのだが、いずれも後年埋められている。車種問わず、施工時にバラバラに埋められていたようなのだが、晩年に残ったキハ183を見ると、N183系は跡形なくきれいに埋めているのに対し、NN183系は板で塞いだような埋めかたになっている車両が多い印象だ。また、板で塞いだ処理方法でも段差があまり見えず、完全に塞がっているように見える場合もある。

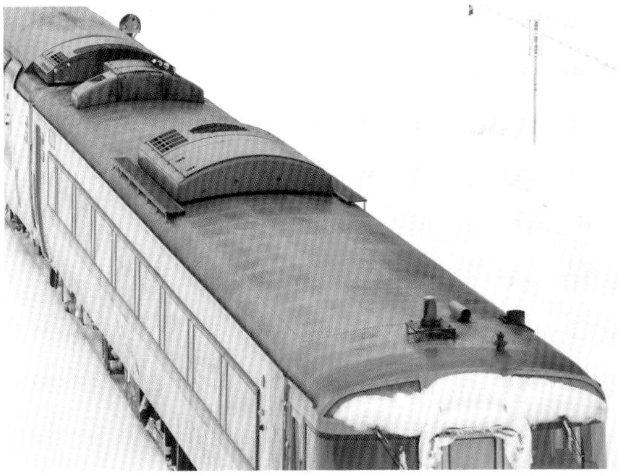

屋上機器がスッキリしたNN183系。写真はキハ183-9562

NN183系のランボードの大半はグレーで、塗り分けはされていない。写真はキハ183-9562

貫通路上の通風口。NN183系は板状に塞がれている。写真はキハ183-9560

キハ183は貫通幌のダンパーは設置されておらず、その準備用のステイが残っている。写真はキハ183-1555

元北斗車は妻面に転落防止幌が取り付けられている。写真はキハ183-9562

複雑な番台区分とその歴史

高出力エンジンを搭載して登場したNN183系。エンジン性能は無改造で130km/hの走行を可能とするスペックだったのだが、営業運転では130km/h走行時に600mで停止できるブレーキを有する必要があり、NN183系が130km/hで走行する際はブレーキの強化を実施しなくてはならなかった。また、ブレーキを強化した際に従来の強化車とそうでない車両の併結運用ができなくなり、番台区分で運用わけが実施された。

この番台区分は改造前の原番に＋2000(キロ182は＋2050)を付与された。数が少ない先頭車に関してはブレーキを改造していない従来車と併結運用が可能な両刀使いの車両を用意する必要があり、こちらは原番＋3000の番号が振られた。そのため、キハ183に関しては550番台車は存在しないので、3550番台車と4550番台車が登場する。これらの車両は特急北斗用として活躍を続けていた。

2013年に発生したキハ183による特急北斗火災事故の影響で、特急北斗で運用している車両に関しては重要機器取替工事と呼ばれる機器更新が実施された。機器更新の対象車はキハ182とキロ182は2550番台全車、キハ183は3550番台全車と4550番台車の一部となり、原番＋5000番が付与された。この紆余曲折を経てNN183系のキハ183は最晩年でも1550番台、4550番台、8550番台、9550番台の4種類が活躍した。

小変化はあるもののほぼ原型を貫いた1550番台車。最晩年はキハ183-1555のみが1550番台車となった。写真はキハ183-1555

高速運転非対応車は車体同色のスカートを装備していた

タイフォンの下には対応速度の表記がなされていた

こちらは高速運転対応かつ重要機器取替工事済み車の8550番台。スカートの色と床下機器の一部が異なる。写真はキハ183-8564

従来車との連結対応車はタイフォン下の表記は「130/120」となる

130km/h対応可能な車両はみなグレースカートになる

120・130km/h対応車は写真中央にある箱の下に後退角のついた機器を装備。これはブレーキの切換を行う機器の一つで、4550番台車と9550番台車のみが装備している

洗練された前面のディテール

国鉄末期に登場しながらも、N183系とNN183系は国鉄離れしたデザインであった。パノラミックウィンドウを採用するなど先代のキハ82やキハ183を踏襲しつつも灯具類は角形ライトを採用し、さらにライトケースをガラスで覆うなど、今でも古臭さを感じさせない整ったデザインとなっており、同時期に登場したキハ185も同様のデザインを採用している。

N183系、NN183系の登場時からの変化といえば、塗装以外に愛称表示が幕式となりHゴム化されたほか、客窓以外に前面にもポリカーボネートによるガラスの補強が入った程度だ。前面窓のポリカーボネートは模型では省略されているので、こちらはなにかしらの手段で再現したいものだ。同様に運転席側の運転台を覆う黒いシートも再現したい。

4灯の前照灯が酷寒地仕様車であることを想起させる。写真はキハ183-9560

おでこに尾灯と前照灯の2灯が備わっている。ライトユニットは濃いグレー

キハ183とキハ185の違いは腰にライトがあるか否かだ

幕式に改造された愛称表示。角度によっては愛称表示器の一部が見えているのもチャームポイント

一見するとイカつい貫通幌のようにも見えなくないが、こちらは幌受け

運転席窓は運転台を覆うように黒いカバーがかけられている

助手席側は窓下に分割ラインのような線が見える。下半分の若干濁っているような部分がポリカーボネートだ

最晩年に大活躍した中間車

キハ182 7550番台

最晩年に活躍したキハ183の中間車の大半はNN183系のキハ182 550番台だ。この550番台車も先述のキハ183 1550番台同様に特急北斗向けの高速対応工事が実施され、原番＋2000番の2550番台に改造される。内容はキハ183と同様にブレーキ等の強化となっており、キハ182 550番台は全車がこの改造を施工された。

2013年に発生した火災事故の影響で、キハ182も重要機器取替工事が実施された。とくに事故を起こしたきっかけとなったキハ182 2550番台はエンジンを従来のDMK30HZからキハ261で使用しているN-DMF13HKZに換装。一部機器にはカバーが取り付けられ、床下機器は大きな変化が見られた。この工事は2550番台全車に実施され、＋5000番が付与され7550番台に。事故当該車のキハ182-2557もキハ182-7557として復帰している。

2018年の特急北斗撤退以後は石北特急用にかき集められ、かつては併結が不可能であった高速対応工事未施工の500番台車や1500番台車、1550番台車との併結が可能になるように改造され、特急オホーツク／大雪で活躍。増結時はキハ182が2両連なって運転していた。

NN183系の中間車はこの元1550番台車のみだ。写真はキハ182-7554

屋上の機器配置はキハ183 1550番台とよく似ている。写真はキハ182-7551

キハ182 1550(現7550)番台車の特徴は屋根上にキハ40のような水タンクが配置されている点にある。写真はキハ182-7551

客ドア側の妻面にはルーバーが備わる。貫通路上のルーバーは板で塞いでいるタイプだ。写真はキハ182-7551

ルーバーの反対側はなにもない。写真はキハ182-7551

トイレタンク側の妻面は手すりとジャンパ栓が備わる。写真はキハ182-7551

反対側にも手すりのほか銘板も並ぶ。写真はキハ182-7551

最晩年は小世帯となったN183系の中間車

国鉄時代に登場したN183系の中間車、キハ182 500番台。車体は先に紹介したキハ182 1550番台とほぼ変わらず、屋上機器のみN183系に準じたベンチレーター搭載車となっている。走行機器はDML30HSJという形式を名乗っているが、キハ182 550番台のエンジンとほぼ同型で、インタークーラーの有無が差となる。インタークーラーを積んでいるのがDML30-HZだ。このほかにも基本番台との併結運用を可能とするべく出力を絞った、原番から100を減らした400番台も存在。最晩年にはキハ182-502とキハ182-508の2両が残った。

妻面にルーバーがないほか屋根上にベンチレーターが備わっている。写真はキハ182-502

エンジンはDML30HSJ。最晩年ではキロ182 500番台車が最後まで搭載していた

重要機器取替工事後の床下機器

N183系とNN183系だけでもエンジンの種類でいえば、形式上はDMF13HS、DML30HSJ、DMF13HZ、DML30HZ、N-DMF13HZKの5種類が存在している。

DMF13系統は直列6気筒のエンジンで、発電機付き先頭車の走行用エンジンと発電機に使用。DML30系統は12気筒の水平対向エンジンで、中間車や発電機を持たない先頭車の走行用エンジンに使用された。残るN-DMF13はキハ261に使用され、重要機器取替工事で換装された走行エンジンだ。

N-DMF13を含むDMF13系統はキハ37から採用がはじまった汎用性の高いエンジンで、今も仕様変更などを施されキハ261に採用され続けているロングセラーだ。一方のDML30系統はキハ91から採用がはじまった超高出力エンジンで、インタークーラーの備わったDML30HZは気動車用のエンジン単体では最大となる660馬力を誇っていた。だが、例の事故でひと足先に消滅している。

重要機器取替工事の対象となったNN183系のエンジンはすべてこのN-DMF13HZKに換装。手前の黒い筒状の空気清浄機(車でいうエアクリーナー)の配置や消音器(車でいうマフラーやサイレンサー)の配置は違えど、DMF13系統の面影を残している

NN183系の発電用エンジンとキハ183 1550番台の走行用エンジンとして使用されたDMF13HZ。重要機器取替工事対象車のキハ183 8550番台並びに9550番台のエンジンでも発電用エンジンは換装されずそのまま。また、DMF13HZとHSの違いはインタークーラーの有無などなので、エンジン本体の差は見られない

火災事故を受け、一部機器にはグレーのカバーが施されている。Nゲージでは再現されている製品があるが、HOゲージでは7550番台車のプラ完成品の製品はまだなので、なんとか再現したい

エンジン換装に伴いラジエーターも移設された。ラジエーターの手前を走る配管にもカバーのようなものが取り付けてある

憧れだったハイデッカーグリーン車

キロ182 500番台

N183系用のグリーン車として登場したキロ182 500番台。当車は客席が一段高くなっているハイデッカー構造を採用したグリーン車であった。全車が500番台車であるが、特急北斗の130km/h対応工事により3両が550番台と同等のエンジン出力になるようインタークーラーを増設。さらに高速域の運転に耐えるべくヨーダンパの増設などを実施したうえでブレーキも強化した。実質550番台と同等の性能になったので、原番+2050のキロ182 2550番台となり、N183系ながらNN183系の番台区分に編入された。その後、重要機器取替工事の対象となった車両は7550番台になった。なお、ほかの500番台車は一貫して機器更新などは実施されなかった。

2＋2の座席配置でデビューしたが、1993年頃より座席の1＋2化がはじまり、全車に施工される。さらに2011年から再び内装の改装を実施しているが、キロ182-506～508はこの改装工事がはじまる前の2010年に廃車となっている。

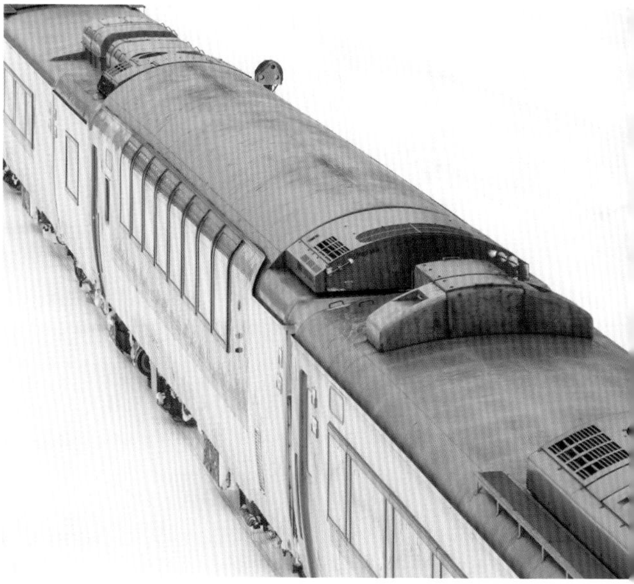

屋根が一段高くなっていることが特徴のキロ182 500番台と2550番台。写真はキロ182-7552

新特急色をまとったキロ182-504。こちらは未更新なので原型エンジンを搭載している

妻面は手すり配置などキハ182 7550番台と似ている。写真はキロ182-7552

客ドアのない側の妻面にジャンパ栓などが収まる。写真はキロ182-7552

客ドア側の妻面にはルーバーの設置はない。写真はキロ182-7552

客ドアの妻面の反対側はやはりなにもない。写真はキロ182-7552

キロ182 500番台のディテールチェック

ハイデッカーグリーン車のキロ182 500番台は客室屋根を高く設定し、まるで24系客車のようになっている。そのため空調装置も24系客車のようにAU76を採用。キロ182-7551のようにAU76でも更新タイプを搭載した車両も見られた。さらに水タンクを搭載しているので、低屋根部が長くなったユニークな構造となっている。

また、車掌室のほかにかつては公衆電話もあったので車外にアンテナが取り付けてあったのだが、屋根上にアンテナを設置できそうなスペースはなく、こちらは妻面に設置されていた。客ドア側の妻面には無線アンテナ、反対側の妻面には電話用のアンテナを装備。公衆電話はのちに撤去され、こちらはアンテナ台座のみが残っている。

妻面にはアンテナも設置。客ドア方にはJR無線アンテナが伸びる

トイレ側の妻面のアンテナは撤去されてしまい台座のみが残る

屋根にまで窓が伸び、リゾート列車を彷彿とさせるキロ182 500番台。写真はキロ182-7553で屋根は塗装の剥離が目立っていた

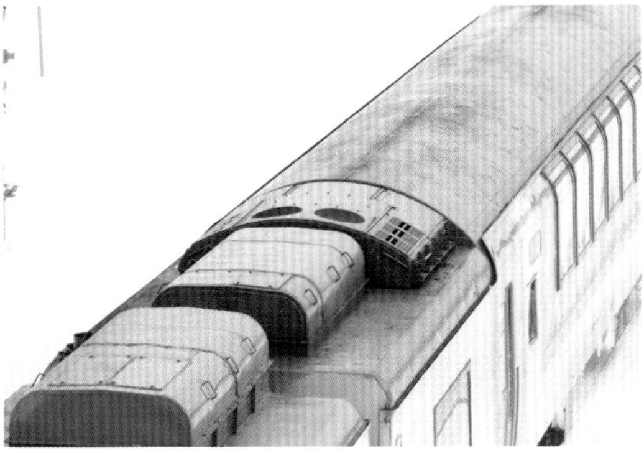

キロ182 500番台の屋上機器は空調設備のほかにトイレタンクが目立つ。写真はキロ182-7551

キロ182 500番台はAU76クーラーを搭載。写真のようにAU76でも更新仕様に換装された車両も存在した。写真はキロ182-7551

意外にバリエーションが豊か

キハ183系 内装探訪

様々な特急に充当されてきたキハ183系。使用される列車によって内装もリニューアルされ、姿を変えて活躍してきた。そんなキハ183系も最晩年は石北本線の特急列車に集約され、外装の仕様は整っていても、客席のアコモデーションはバラバラとなっていた。全室指定席車には元特急北斗用のグレードアップ座席車が運用に就くようにしていたが、稀に例外も見られたようだ。

キハ183の運転台。じつは半室に仕切られており、助手席側の内装色は客室と同じだ。客室との仕切り戸もこうやって見るとよく目立つ。色は内装の仕様によって異なり、それは次ページ以降で紹介する

デッキや運転席仕切りに注目

様々な座席の種類のあるキハ183系だが、デッキなどは各車ともに共通点が多いので、ひとまとめに紹介したいと思う。模型を加工する際、床板パーツを加工するなどの必要が出てきたりすると思うが、簡易的に仕上げるには塗り分けるだけでもいいだろう。また、運転台もNゲージの製品の場合ライトユニットの関係で完全な再現は難しくなるとは思うが、塗り分けを実施するだけでもそれらしくなる。

運転席周りは淡緑色がベースとなっている。助手席側の仕切りにHゴムの窓が2枚見える。Nゲージだとこのあたりに導光材のモールドが当たってしまうので、Nスケールでの完全再現はいろいろと難しそう

客室とデッキ仕切りやデッキ内部の様子。客席はもちろん、客扉の窓からはデッキ仕切りなどの様子がよく見える

キハ183 1550番台(原番)のデッキ仕切りの様子。右側が客室だ

同じくキハ183 1550番台(原番)のデッキ仕切りの様子。左側が連結面

こちらはキハ182 550番台(原番)のデッキ仕切りの様子。キハ183 1500番台も似たような配置になっている

同じくキハ182 550番台(原番)のデッキ仕切りの様子。右手が連結面となっている

ハイデッカーグリーン車のデッキ探訪!

ハイデッカー構造が特徴のグリーン車。荷物置き場や車掌室などが集約されているうえ、廊下はスロープ状になっているなど通常のデッキとは様子が大きく異なりとてもユニークだ。キロ182 500番台には車販準備室が備わっているのだが、準備室の前には大きな窓もあり、その箇所に関しては内装仕切りなどもよく見える。このあたりは模型でもしっかり再現したいところだ。

キハ183系でも一際目立つハイデッカーグリーン。そのデッキにも注目だ

車掌室の横にはガラスで仕切られた荷物置き場も。このスペースは荷物置き場→喫煙室→荷物置き場と用途が点々とした

車販準備室近くから客ドアと客室方面を望む。車販準備室側の客ドアはデッキ仕切りなどがなくパイプで区切られている。客室へ向かう通路の右側に車掌室がある

車販準備室の仕切りは手すりがあるだけでシンプルな壁になっている

車掌室と反対側のデッキ仕切りに国鉄型車両ではおなじみのくずもの入れが見える

客ドアのない連結面側は通路となっており、左右に便所と洗面所が備わる。スロープに合わせて各部屋の高さが異なっている

車販準備室はカウンターが用意され、車販廃止後も臨時で営業をしていた時期もある

キハ183 座席いろいろ

キハ183を内装の仕様別に分類すると、未更新車、元特急北斗のグレードアップ車、元特急サロベツ車の3種類にわかれる。これらは座席の種類や色、床の塗り分けパターンなどが異なる。特定番号にこだわる場合は、内装の色などにも注力したいところだ。

未更新車

座席のモケット色などは変わったが、座席は原型のまま使用されていた。通常は一部指定の自由座席車に充当されていたが、運用によっては全室指定席の車両にも充当された。

茶系のモケットに張り替えられているが、座席は旧来のまま

モケットは新しくなっても年季の入ったテーブルなどに時代の流れを感じる

グレードアップ座席車

特急北斗のグレードアップ座席指定車用に用いられたシートを有する車両。座席はキハ261のグレードアップ座席車と同一のものを使用していた。一際目立つ大きな枕カバーがアクセントだ。

紫色が映えるキハ261用の座席

こだわるのならばテーブルの塗り分けも実施したいところだ

元サロベツ車

特急サロベツに用いた車両も座席交換が実施されたほか、床は市松模様となっているのが特徴だ。全車シートピッチ拡大車なうえに、唯一全席にコンセントが装備された豪華な車両となっていた。

元サロベツ車は原色に近い座席色が特徴。写真の青色以外に赤と緑がある

N183系はデッキ仕切り戸の窓が正方形になっているのが特徴

グリーン車

キロ182の内装は2011年に現役車すべてが改装された。車番ごとの個体差はなく、全車がブラウン系のモケットの座席を採用している。床の色もブラウン系でカーペット敷となっている。

グリーン座席らしく重厚感のあるシートを採用

デッキ仕切りは木目となっており、内装もシックなつくりとなっている

座席を潰して増設した大型荷物置き場

インバウンド需要で大型の荷物置き場が増設された。設置されたのはキハ183が特急北斗で運用されていた時期で、特急北斗用のグレードアップ座席指定車にこの荷物置き場が設けられていた。つねに入手可能とは限らないが、N、HOゲージともに個人メーカーから3Dプリント製品が販売されている。

荷物置き場は外からもよく見える。模型でも再現したいところだ

キハ183 座席相対表

キハ183は車番によって座席の仕様が異なり、これらを組み合わせて特急オホーツクや大雪で編成が組まれていた。最晩年に活躍していたキハ183の座席や内装の仕様を簡単にまとめてみた。

座席の色

茶→未更新
紫→グレードアップ座席車
青／赤／緑→元サロベツ車

キハ183

車番	座席の色	デッキ戸の色
1501	赤	水色
1503	赤	水色
1555*	青	水色
4558	茶	黄色
4559	茶	黄色
8563	茶	黄色
8564	茶	黄色
8565	紫	黄色
8566	紫	黄色
9560	紫	黄色
9561	紫	黄色
9562	紫	黄色

キハ182

車番	座席の色	デッキ戸の色
502	緑	黄色
508	紫	黄色
7551	茶	黄色
7552	茶	黄色
7554	紫	黄色
7556	紫	黄色
7557	紫	黄色
7560	紫	黄色
7561	紫	黄色

★:デッキ戸は細長い窓の扉に換装

模型を見る角度によって内装の見えかたは大きく変わってくる。どこまでこだわるかは自分の好みと技量によるので、どう対処するかは自分次第だ

《 リバイバル運転の編成をチェック 》

キハ183系 ラストランの編成
北斗／ニセコ編

2023年3月17日に定期運行を終了したキハ183。その後、キハ183のなじみが深い特急列車のリバイバル運転が実施された。今回は新特急色との相性がよいキハ183系北斗号とその復路で運転されたキハ183系ニセコ号の編成に注目しよう!

DATA FILE

キハ183系ニセコ号

函館発（山線経由）札幌行き

← 札幌

キハ183-1555	キハ182-7561	キハ182-7554
キロ182-504	キハ183-8565	

函館 →

2023年3月26日撮影

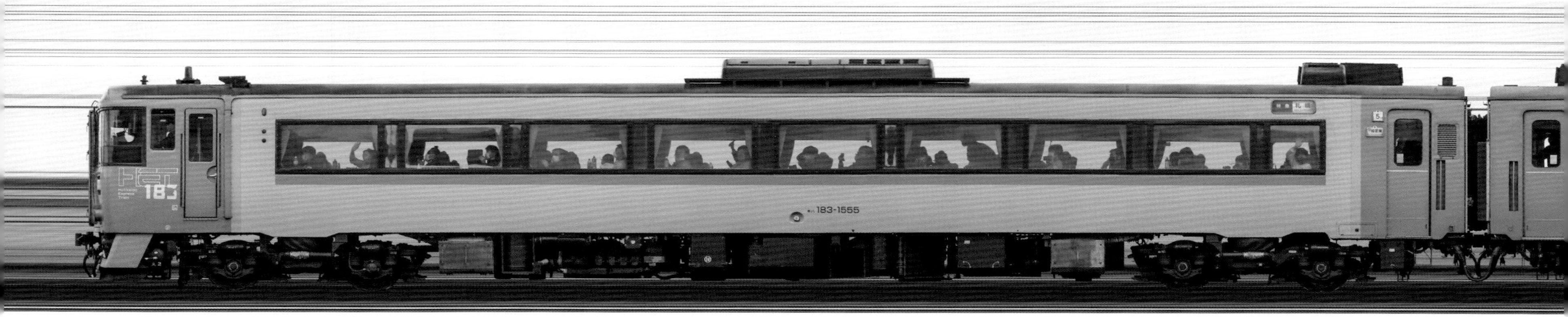

キハ183-1555

札幌方面の先頭車で5号車はキハ183-1555が担当。側面の愛称表示は特急となっていた

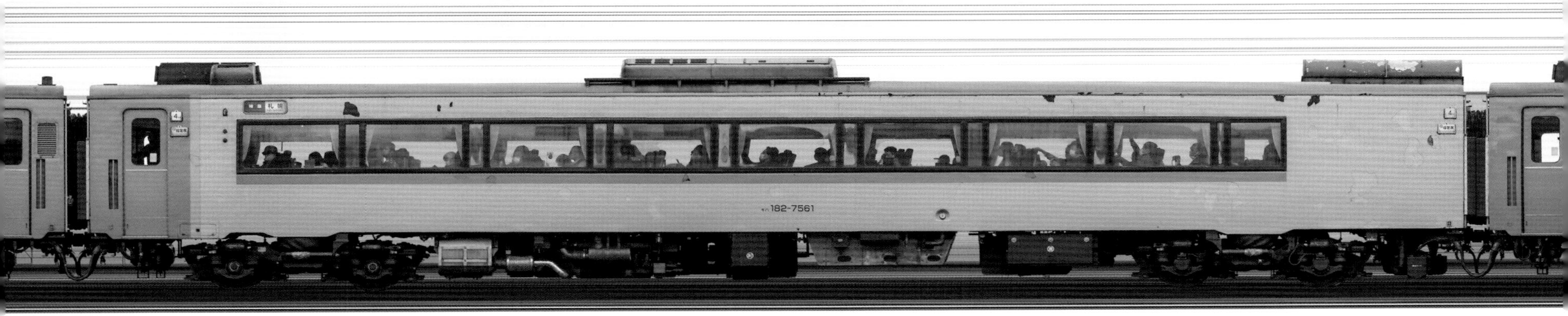

キハ182-7561

4号車はキハ182-7561。側面のサビや補修跡が目立つ

キハ182-7554

3号車のキハ182-7554。こちらは外板もきれいだ

← 札幌　　　　キハ183系　ラストランの編成　北斗／ニセコ編　　　　函館 →

キロ182-504

グリーン車は新特急色のキロ182-504。編成内でもっとも高出力のエンジンを搭載している

キハ183-8565

1号車はキロに続いて新特急色のキハ183-8565が担当。
キハ182の復刻新特急色は存在しないので、北斗のようにキロとの間にキハ182は入らなかった

絵入り幕が復活したけどニセコはシール

ヘッドマークいろいろ

新特急色復活時、キハ183の愛称表記は従来のローマ字表記だったオホーツクのマークから国鉄時代のオホーツクに変更された。とくに新特急色のキハ183-8565は昔に充当していた特急車の幕を復活させ、長時間停車する網走や遠軽では幕回しのお披露目もしていた。収録幕は大雪、ミッドナイト、オホーツク(従来のローマ字表記)、まりも、利尻、サロベツ、とかち、おおぞら、北斗(ローマ字)、北斗(漢字)、おおとり、オホーツク(絵入り)だ。ただ、今回のニセコは幕が用意されていない列車だったので、シール表示となっている。

新特急色に絵入りのヘッドマークはよく似合う。今回のニセコはシールで再現

函館運輸所から出庫した新特急色のキハ183。その横には偶然、道南いさりび鉄道の首都圏色キハ40が並んだ。スマホを構えている人がいなければまさに平成初期の世界だ

《 ウェザリングなどの参考に 》

北斗／ニセコ ラストラン編成の屋根を見てみよう

サビや塗装剥離などは仕方ないが、今回のラストラン運用では車両がかなりきれいに整備されていた。とはいえロングラン運用なので、汚れなどもそれなりに付着している印象である。キハ183のラストラン編成の屋根の汚れや、各車の特徴などを見ていこう。

大沼国定公園を走る特急北斗。この日のこの撮影地は凄まじい数の撮り鉄でにぎわっていた

キハ183-8565

新特急色のキハ183。塗り直し時に車体もしっかり整備されており、塗装剥離やサビなども見えずきれいな外板だ

キロ182-504

同じく新特急色のキロ182。クーラーは前後とも旧タイプのAU76を搭載している

キハ182-7554

こちら側もサビがなく、比較的きれいな状態を保っている

キハ182-7556I

こちら側もやはりサビが目立つ。全体的に屋根が白っぽいのも特徴だ。また、当車の排気管は角形となっている（排気管の様子は次のキハ183-1555を参照）

キハ183-1555

全体的にきれいなキハ183。模型で屋根を汚す際は専用の治具を用意するなどして塗装するのがよさそうだ

6日間実施されたキハ183系ラストラン

特急オホーツク／大雪の定期運転終了後に実施されたキハ183系のラストランを兼ねたリバイバル特急列車の運転。2023年3月25日に北斗、3月26日にニセコ、4月1日、2日にサロベツ、そして最後に4月9日と10日にオホーツクが運転された。

全列車5両編成で運行予定で、北斗とニセコに関しては予定どおり5両で運転され、サロベツは上記で紹介した5両編成に加えてキハ182-7554とキロ182-504の間にキハ182-508を加えた6両編成で運転された。

最後のオホーツクはキハ183の間にキロ182を3両繋げる「中間車がオールグリーンの特別編成」での運転予定だったが、最終的にはキハ182を2両増結させた7両編成での運転となった。編成の内訳は下記となる。この編成で運行された2023年4月10日網走発札幌行きの「キハ183系オホーツク号」により、JR北海道の一般車のキハ183の旅客営業運用は終了し、キハ183はJR九州の観光列車のみとなった。

←遠軽　**2023年4月10日網走発札幌行きの「キハ183系オホーツク号」の編成**　札幌／網走→

キハ183-8565	キロ182-504	キロ182-7551	キロ182-7553	キハ182-7554	キハ182-508	キハ183-1555

基本番台車、
最末期の記録

スラントノーズの基本番台

基本番台のキハ183系はN183系、NN183系以上にバリエーションが豊富だった。
ユニークな車両も多く、様々な列車にも充当されていたので、
深掘りしていくと趣味的に非常に楽しい番台である。
本書では基本番台車が石北本線に集約され、特急オホーツク/大雪に充当されていた最晩年の車両を
おまけ的に見ていきたいと思う

一部車両を除き、高運転台を採用していた基本番台。屋上機器がにぎやかで、ランボードが青色の車両が多いのもこの番台の特徴だ

台車は空気バネ式。軸受もゴムで被覆され、耐雪構造となっている

エンジンはキハ40に搭載されたDMF15系統を採用した。発電機搭載のキハ183はDMF15HSAを、中間車などはこのDMF15を並べて水平対向エンジンにしたようなDMF30HSIを採用している。写真は後者のDMF30HSI

キハ183 0番台サイドビュー

まだ中間車にキハ182 0番台が入っていた頃のオホーツクのサイドビューを見ていこう。
この当時は特急大雪の設定もなく、全列車が札幌～網走間を通して運転されていた

DATA FILE

大雪3号

札幌発網走行き

← 札幌／網走　　遠軽 →

キハ183-210	キロハ182-10	キハ182-43	キハ183-1553

2014年9月13日撮影

キハ183-210 スラントノーズが特徴のキハ183。1993年に出力が増強され走行用エンジンがDMF13HZCに換装された。原番＋200の200番台車に改番されたグループだ

キロハ182-10 基本番台で最後まで運用が残ったキロハ182。走行エンジンも晩年まで原型のDML30HSIを使用していた

キハ182-43 キハ182は一般車ではキハ183とキロハ182よりひと足先に引退してしまったグループの基本番台。この頃はまだ現役だった

キハ183-1553 2020年10月に廃車となったキハ183-1553。座席はグレーで取っ手が赤いキハ283タイプを使用していた

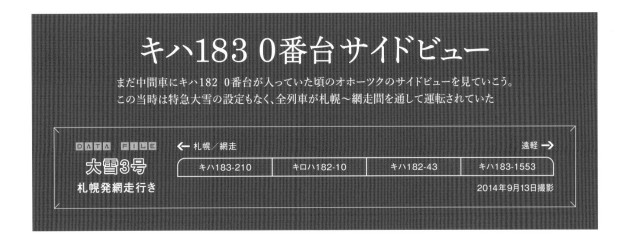

[最晩年まで残ったキハ183 200番台とキロハ182]

基本番台 ディテールチェック

キハ183でも最初に引退したのは、独特なスラントノーズを有しながらも国鉄然としたスタイルで人気を博した先頭車のキハ183 0番台(原番)を含む基本番台のグループだった。こちらも石北本線の特急に集約され、N183・NN183系に混ざりながらオホーツクと大雪に充当された。このグループは最晩年までとかち色をまとい、引退後に保存車となったキハ183-214と220が国鉄色に復元され、いずれも追分駅のある安平町で保存されている(P.90参照)。

キハ183 200番台は0番台車の出力増強車で、走行用エンジンはDMF13系に換装された。キロハ182は形式のとおり半室グリーン車の合造車で、車販スペースを一般席にした改造車だ。キハ183 200番台は2018年3月にN183系/NN183系に置き換えられた。キロハ182に関しては特急北斗で使用されていたキロ182 500番台を転入させるのに準備などが必要だったようで、一足遅れた2018年6月に引退し、定期の一般運用からは離脱した。

オホーツクの運用で先頭に立つスラントノーズのキハ183 200番台。反対側はN183系が先頭に立ち、両端がスラントノーズの編成になることは稀だった

グリーン車は半室構造のキロハ182が担当。予備車のキロ182 0番台が運用に就いた際は、定員の関係でキハ182が1両増結される

基本番台車は窓がそれぞれ独立している。そのため窓を飛び石や氷などから守るポリカーボネートは窓ガラス1枚ごとに取り付けられた

〚 前面周りを中心に見ていこう 〛

模型視点のスラントノーズ

着雪の対策などから「く」の字に曲がった特徴的な前面を有するスラントノーズのキハ183。ほかの国鉄型特急車とは一線を画したデザインで人気の高い車両だ。灯具類も耐雪構造で本州で活躍する車両と若干仕様が異なっている。そんなキハ183の前面周りなどの様子を見ていこう。

旭川で折り返し運用を待つキハ183-214。独特な着雪状況にも注目だ

運転台は淡緑色。前面窓下にも手すりが伸びているので再現する際は忘れずに

ポリカーボネートで保護された客窓。増設された窓の縁は意外に厚みがある

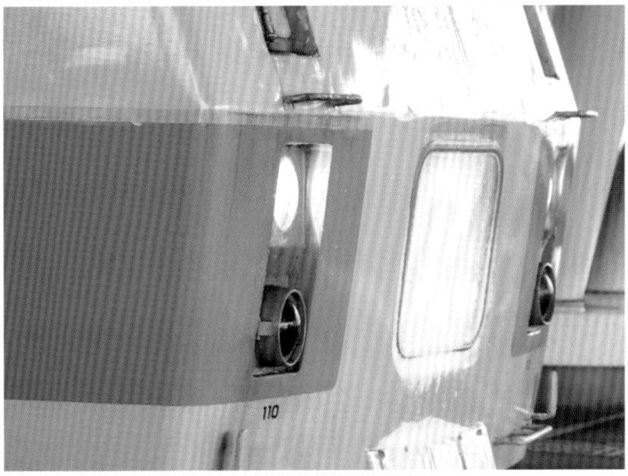

灯具類も独特。テールライトは外バメ式、ヘッドライトは車体内部に収まる

灯具類下の長めの手すりの足は3本だ。細密化する際は注意しよう

写真はキハ183-214。貫通路上のルーバーはきれいに埋まっている

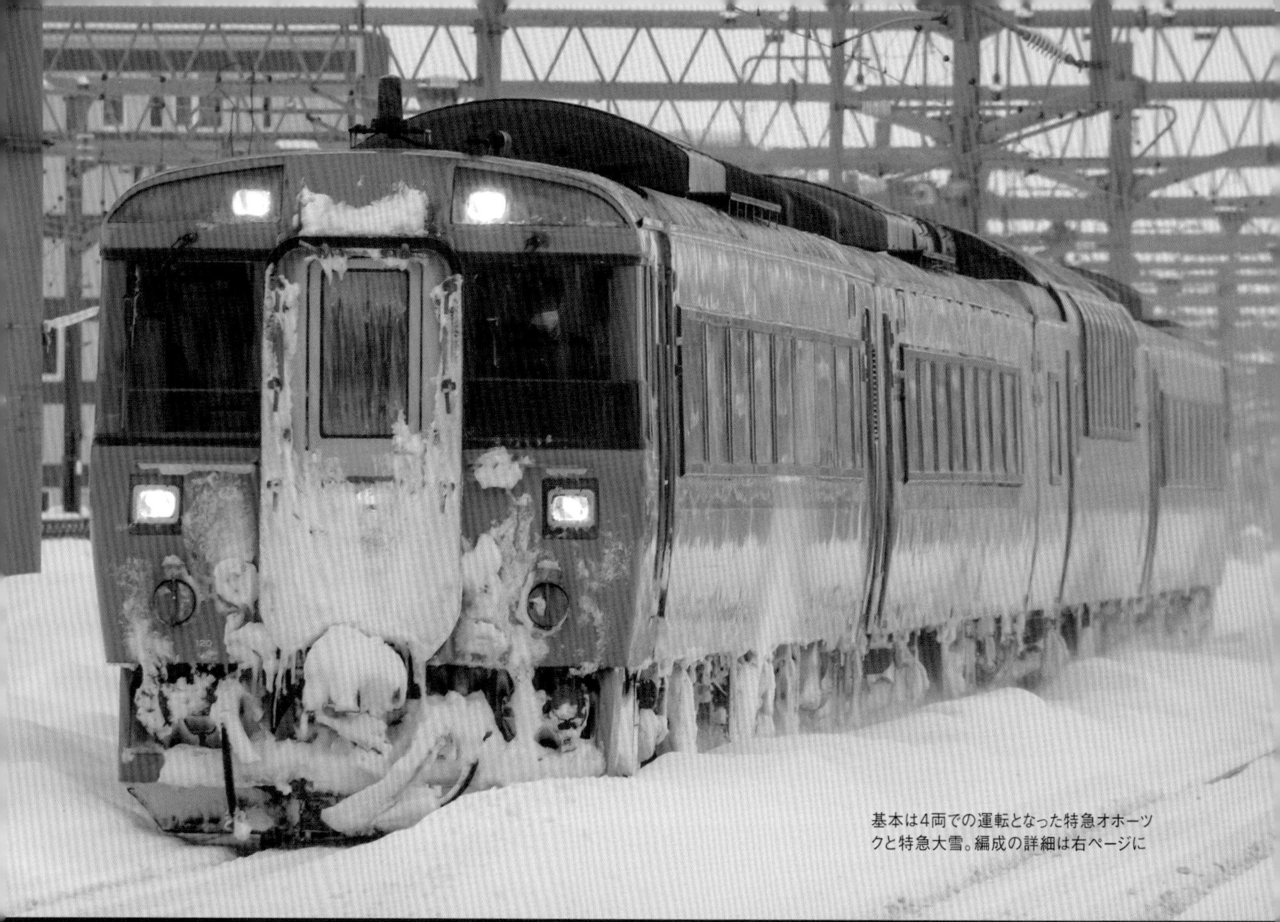

基本は4両での運転となった特急オホーツクと特急大雪。編成の詳細は右ページに

特急オホーツクと特急大雪の編成を見る

キハ183 最末期の編成

JR北海道では最後のキハ183の運用となった特急オホーツクと特急大雪。
晩年は元特急北斗用の130km/h対応車なども混結され、見た目や塗装などはほぼそろっていながらも、
趣味的な視点で見ると混沌とした編成となった。
最晩年になると新特急色のリバイバルカラー車も登場し、さらに編成のアクセントとなっていった

2023年2月21日のオホーツク4号は新特急色が先頭。ちなみに昼はこの編成で特急大雪2号、大雪1号に充当されている。編成の内訳は遠軽方面先頭の手前から【キハ183-8565】【キロ182-505】【キハ182-7560】【キハ183-8563】

基本は4連ながら多彩なバリエーション

キハ183 最後の編成

走行装置などの関係で、特急北斗用の130km/h対応車と従来の120km/h対応車で運用が完全にわけられていたキハ183系だが、130km/h対応車は番台はそのままに120km/h対応に戻されたうえ、石北本線の運用に集約され特急運用に就いた。使用列車は特急オホーツクと特急大雪で、同じ編成での運用となった。基本は4両編成での運用だが、増結時は中間にキハ182を増結し、長いときで6両編成での運用となっていた。

車両は全車HET色で統一されていたが、2022年に新特急色の復刻塗装車も登場。最初にキロ182-504が新特急色で運用に就き、続いてキハ183-8565も新特急色化。2両の車両が新特急色となって登場している。

リバイバルカラー車が出そろった頃はキハ、キロともにペアを組んで運用に就いていたが、のちにペアを解消され、両車ともにわかれて運用に就いた。ただ、偶発的な運用やラストランなどのイベント時には再びペアが組まれるようになり、新特急色同士の運用も見られている。

このほか故障の多い特急宗谷、特急サロベツに代走運用としてキハ183が抜擢されることも多く、石北本線特急以外の活躍も最晩年まで見られた。

最晩年に見られた編成は以下のとおりだ。

←札幌／旭川／網走　　遠軽／稚内（※稚内行きは特急宗谷、特急サロベツの代走のみ）→

特急オホーツク、特急大雪

キハ183	キハ182	キロ182	キハ183

※増結時はキハ182とキロ182の間にキハ182を連結

特急宗谷、特急サロベツ（代走。ヘッドマークは特急）

キハ183	キハ182	キハ182	キハ183

※キハ182、1両減車の3連運用実績もあり。新特急色車の運用実績も

2023年3月17日運転時の定期ラストの特急オホーツク1号／特急大雪4・3号

キハ183-8563	キハ182-7551	キハ182-508	キロ182-504	キハ183-8565

2023年3月17日運転時の定期ラストの特急オホーツク2号／特急オホーツク3号

キハ183-4559	キハ182-7554	キハ182-7556	キロ182-505	キハ183-9562

2023年3月17日運転時の定期ラストの特急大雪2・1号／特急オホーツク4号

キハ183-1501	キハ182-7560	キハ182-7561	キロ182-7551	キハ183-9560

※番台は省略。基本的に番台を問わず編成を組んでいた。ただし、両数は圧倒的に元北斗車が多かったので、模型では編成内に1両程度改番されていない車両を紛れ込ませるとリアルかも

2023年2月の特急オホーツク、特急大雪 編成詳細

サイドビューでも取り上げてはいるが、違う編成の様子も見てみよう。紹介するのは2023年2月21日に運転された特急オホーツク2号の編成だ。この列車は一度、苗穂に入庫する運用なので、翌日の運転で編成が組み換えられる場合がある。前日の2月20日に網走に停泊しており、前日の運用はオホーツク1号で札幌を発車し、網走到着後すぐに大雪4号で旭川へ向かい、再び大雪3号で網走に戻ってくる行程を組まれている。

小雪舞う夜明け前の女満別駅にやってきたオホーツク2号。先頭は元北斗用の8550番台

←札幌／旭川／網走　　遠軽→

キハ183-1555	キハ182-7557	キロ182-7553	キハ183-8564

遠軽から先頭に立つキハ183-1555。120km/h対応車なので機器更新はなされていない

中間の普通車はキハ182-7557。キハ183の重要機器取替工事施工のきっかけを起こした元事故車だ

グリーン車はキロ182-7553。屋根の塗装剥がれが目立つ

遠軽方の先頭はキハ183-8564

平屋グリーン車にスラントノーズ

キハ183 基本番台末期の頃

過去に遡れば特急オホーツクには夜行特急列車時代もあり、編成内にスハネフ14を連結していたり、キハ183-100番台が先頭に立っていたりと、ゲテモノファン垂涎のユニークな編成での運転も見られていた。だが、今回は基本番台車の末期にスポットを当てての紹介だ。

基本番台車の末期は寝台車の連結はもちろんのこと、キハ183-100も2008年代から廃車が進み、最後のキハ183-104も2017年3月に廃車。これと同時期にキハ182-0番台もひと足先に消滅し、今回の編成を記録した2018年1月には基本番台車は先頭車のキハ183とキロハ182のみとなっていた。キハ183のほうは2018年3月に運用を終了。キロハ182も少し遅れて同年6月に運用を終了し、以後は元特急北斗車の重要機器取替工事施工車と従来車が入り乱れての運用となった。

運用方法はキハ183の最終運用の頃までさほど変わらず、特急オホーツクと大雪に充当され、4両編成が基本だった。ただし、グリーン車の位置が札幌・網走方に連結されている違いもある。増結はキロハ182とキハ183の間に増結車を挟む形で運用され、充当される車両もキハ183が使用されることもあり、先頭車が連なる編成も見られた。編成向きはキハ183晩年と変わらず、下記のとおりの編成だ。

←札幌／旭川／網走　※番台は省略。基本的に番台を問わず編成を組んでいた　遠軽→

特急オホーツク、特急大雪

キハ183	キロハ182	キハ182	キハ183

苗穂から出庫し、札幌駅に入線してくるキハ183。このまま折り返して網走へ向かう特急オホーツク1号に。2018年1月17日の編成で、手前から【キハ183-1501】【キロハ182-2】【キハ182-413】【キハ183-1553】

旭川駅に入線するオホーツク1号。こちらは2018年1月19日撮影で、編成の詳細は右ページ参照

基本番台最後の頃の特急オホーツク、特急大雪 編成詳細

屋根の高さのそろったごちゃ混ぜ編成が特徴の、基本番台最後の頃の特急オホーツク、特急大雪の編成を紹介しよう。

先頭を務めるキハ183は数的にも500番台以降のN183系／NN183系が担当することが多く、一見するとP.79の写真と同じように見える。だが、グリーン車が平屋なうえに、後ろをよく見るとスラントノーズ車。0番台車は110km/h対応なのに対し、500番台以降の車両は120km/h対応なのだが、とくに問題なく併結されていた。

スラントノーズ車が後ろなので、一見するとキハ183最末期の編成と見間違えてしまう

←札幌／旭川／網走					
	キハ183-1503	キロハ182-6	キハ182-501	キハ183-214	遠軽→

キハ40と並ぶキハ183-1503。やはり着雪量が気になる

グリーン車は平屋の合造車。基本番台車なのでとかち色

中間の普通車はキハ182-501。こちらはN183系なのでHET色

スラントノーズのキハ183は基本番台なので、とかち色。塗装もチグハグなのがおもしろい

定期列車では最後の花形運用

キハ183 特急北斗の末期編成

キハ183にとって特急北斗の運用は本当に波乱万丈、紆余曲折あったが、N183系登場当初から運用に就いていたなじみ深い列車でもある。一時はスラントノーズのキハ183も新特急色に塗られ、特急北斗の先頭に立ったり、ハイデッカーグリーン車を2両繋げた豪華編成（2両目のグリーン車は送り込み回送などが多かったようだ）なども見られたが、今回はキハ183で運用されていた最末期の編成を紹介しよう。

特急北斗用のキハ183は130㎞/h対応工事が実施され、一部車両を除いて他番台との併結運用ができない車両だった。そのため編成は4550番台、7550番台、8550番台、9550番台のみで構成され、他番台との併結運用は見られなかった。

基本編成は7両で、車内電源用の発電機の関係により、8両を超える編成を組む場合は発電機を有する先頭車を1両増やさなくてはならないので、札幌方にキハ183＋キハ182のユニットなどを増結するシーンも見られた。発電容量の足りている8両でも中間に先頭車が組まれたケースもある。編成例は下記のとおりだ。

←札幌　※番台表記は省略　函館→

基本編成

キハ183	キハ182	キハ182	キハ182	キロ182	キハ182	キハ183

増結編成例 1

キハ183	キハ182	キハ182	キハ182
キハ182	キロ182	キハ182	キハ183

増結編成例 2

キハ183	キハ182	キハ183	キハ182
キハ182	キロ182	キハ182	キハ183

増結編成例 3

キハ183	キハ182	キハ182	キハ183	キハ182
キハ182	キロ182	キハ182	キハ183	

HET色でグレースカートは130㎞/h対応の証！　ただ、重要機器取替工事で高速運転は不可能に……

札幌駅で出発を待つ特急北斗12号。晩年では珍しい、比較的長編成が楽しめる特急列車だった

札幌方面の先頭車はキハ183-8564が担当

特急北斗 編成例

取材日は2018年1月16日。この日の北斗13号はとくに増結などもなされず、一般的な7両編成で運転された。当然だが、全車が元130km/h対応車で組成されていた。この日の函館方の先頭車はキハ183-9560。130km/hに対応していない車両との併結も可能となっていた車両だ。編成は下記のとおり。

キハ183-8564	キハ182-7552	キハ182-7558	キハ182-7560	キロ182-7553	キハ182-7555	キハ183-9560

←札幌　　函館→

6号車はキハ182-7552。意外に床下機器もきれいだ。扉のない連結面側にもサボ受けが目立つ

5号車はキハ182-7558。元北斗用の車両全般にいえるのだが、外板の歪みが結構目立つ

4号車はキハ182-7560。検査上がりなのか、エンジン周りや屋根上の水タンクなどがきれいになっている

グリーン車はキロ182-7553。先頭車の次位に連結ではなく、普通車を1両挟んでの編成となっている

2号車はキハ182-7555。北海道を代表する特急だけあって通常編成でも長い

函館方の先頭車、北斗13号的には最後尾となる車両はキハ183-9560が担当

ハイデッカーグリーン車に乗って

厳冬の石北本線を往く キハ183乗車記録

キハ183が引退間際の2023年2月22日、網走発札幌行きの特急オホーツク2号の乗車記録。実際に列車に乗ってみることで乗客の配置や雰囲気、走らせる情景なども見えてくる。本書では6ページと短い乗車時間になると思うが、当時の空気感などが伝われば幸いだ

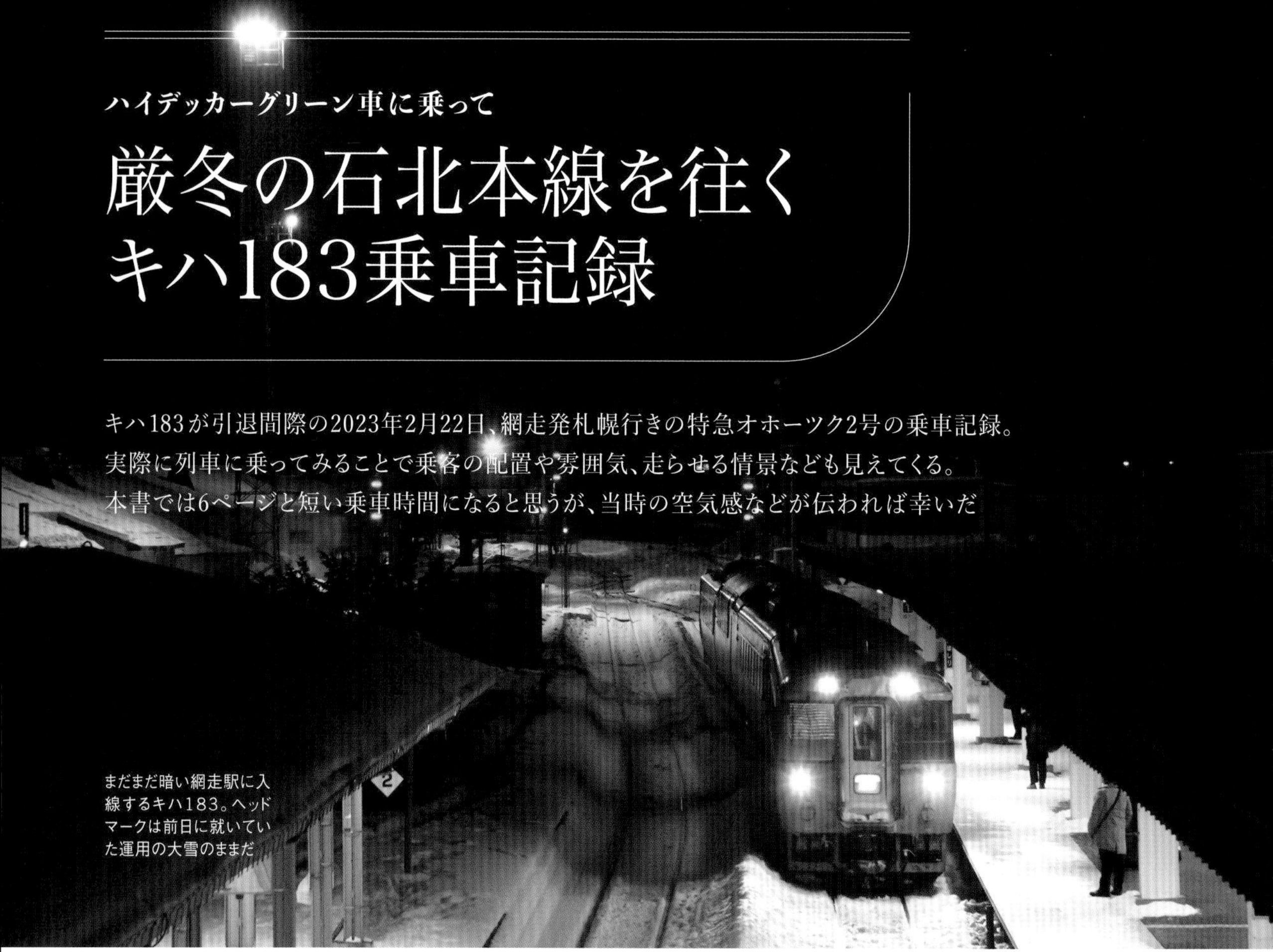

まだまだ暗い網走駅に入線するキハ183。ヘッドマークは前日に就いていた運用の大雪のままだ

❄ 始発は日の出前の網走

凍てつく寒さのなか、一路札幌へ

2023年2月22日5時45分頃、外の気温はマイナス14度。網走駅構内横に併設された車庫から一本の列車がやってくる。網走駅からの始発列車、特急オホーツク2号に使用するキハ183だ。前日の特急大雪3号で使用していたヘッドマークをそのままに入線。乗務を担当する乗務員により行き先表示は戻された。徐々に明るみ出した空のもと、乗車率は1割程度と少ないお客を乗せて網走駅を定刻に出発した。

ハイデッカー構造のグリーン車に乗っておきたかったので今回は奮発してキロ182に乗車。グリーン車だから静かで快適……と思いきや意外に連結面の音が反響して少し気になる。

しばらく走ると太陽が見えはじめ、天気も快晴。時折雪が舞っているように見えるが、これは線路脇の雪が舞い上がっているのだろう。途中駅で徐々に乗客は増えていくものの、オホーツク地域最大都市の北見でも乗ってくるお客はまばらで相変わらず空席は目立ったまま定刻どおり鉄路を進む。

留辺蘂(るべしべ)を過ぎ、常紋峠へ差しかかると

1

2

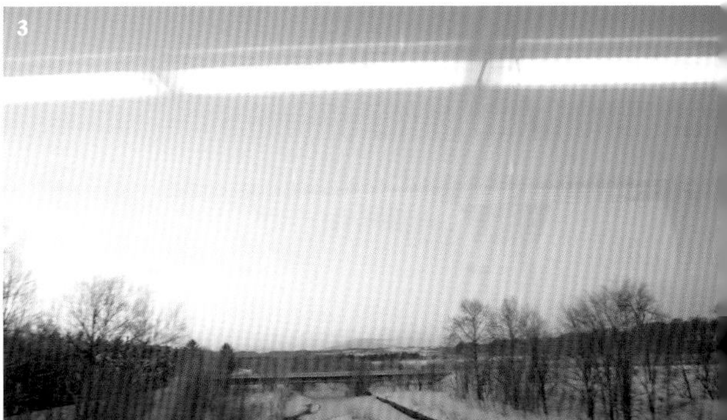

3

4

急に列車の歩みも遅くなる。車内の放送では野生動物との接触による急ブレーキの使用に関してのアナウンスが流れる。鹿の姿こそ確認はできなかったが、積もった雪にはしっかりと足跡が見え、警笛も絶え間なく聞こえる。ガサゴソと木々が車両に当たる音を聞きながら特急列車らしからぬスピードで遠軽へ。

1)資料写真などをひととおり撮ってからいざ乗り込み! 車内探索もしたかったので3号車から乗車はご愛嬌 **2**)網走駅で出発準備をしている頃には空も明るみ出してきた。乗車編成はP.52～P.53で取り上げた編成で、手前から【キハ183-9562】【キロ182-7552】【キハ182-7551】【キハ183-1501】だ。遠軽までキハ183-9562が先頭を務め、スイッチバック後はキハ183-1501が札幌まで先頭になる **3**)女満別手前から空もだいぶ明るくなってきた **4**)留辺蘂までは途中、防風林などで囲まれた箇所も走るが、それ以外は北海道らしい広大な大地を走る

❈ 遠軽で向きを変え……

方向転換して旭川方面へ

遠軽は今では石北本線のみが利用している駅。わざわざスイッチバックを実施しなくてはならない不思議な駅となっているが、その歴史を紐解くとその謎も見えてくる。

遠軽駅は当初、名寄本線の途中駅として開業し、後から伸びた石北本線は、この名寄本線の向きに合わせるように線路を配置した。その結果、石北本線の列車は全車スイッチバックを余儀なくされた。1989年に名寄本線が廃線となってしまったため、駅構造はそのままに石北本線の列車のみがスイッチバックをする不思議な構造になったというわけだ。

遠軽もそこそこ大きい街で、乗客は増えはじめ乗車率は3割程度に。座席の向きを変えたりしていたら出発時間となった。定刻どおりに遠軽を発車し、し

1）特急オホーツクは遠軽で方向転換をする。先程まで最後尾だったキハ183-1501。巻き上げた雪でうっすら白くなっている **2**）かつては名寄本線との接続もありターミナル駅だった遠軽駅。広い構内はその往時を偲ばせる

3

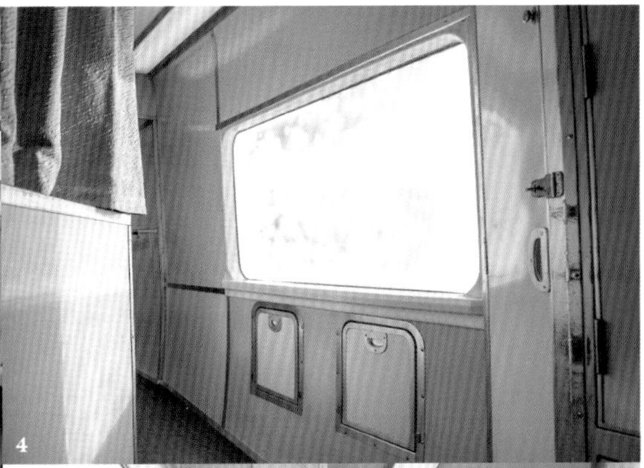
4

5

6

ばらくすると北見峠へ突入。こちらもお世辞にも特急列車らしいスピードとはいえない速さで過ぎていく。

天気は次第に雲が見えはじめる。途中、安足間(あんたろま)で新特急色のキハ183とすれ違い。ここからは特急列車らしい快足を見せるが、今度は若干縦揺れが気になる。時折曇り空に変わっていくなか、車窓も次第に市街地へと変わり旭川へ。

7

3)遠軽駅で方向転換。1人掛けのグリーン席はやはり落ち着く **4**)網走から札幌まで5時間23分の長旅なのでちょっと車内散策。キロ182-500といえば車販準備室前の簡易座席。窓が完全に凍って車窓は楽しめなかった **5**)往年のブルートレインのような座席に腰掛ける。車販準備室の構造もあって、この区画だけはB寝台車と錯覚してしまいそうだ。ちなみにモケットの色は小豆色に近い茶色 **6**)安足間ではキハ183系の待避。新特急色とのすれ違いだった **7**)北見峠は曇り空。窓の上まで木々が広がって見える

❈ 複線電化の下を走るキハ183

特急らしい俊足で札幌へ

列車は高架区間に入り旭川駅へと向かう。とくに目立った遅延もなく順調に定時で運行中だ。ここで乗客も結構入れ替わるのかと思いきや、下車する客は少なく通しで乗車するお客が多いようだ。乗車率は5割近くになる。

旭川を過ぎると特急街道の函館本線に。路盤の状態はよく、キハ183は高速性能に特化した車両らしく滑るように高速で複線区間を駆けてゆく。外は相変わらず変わりやすい天気だ。快晴に近かった旭川も西に進むにつれ、時折雪が降ったり晴れ間が見えたりと目まぐるしく変わる。

途中の岩見沢でも乗客は増え、乗車率は最終的に6割程度。「自由席では隣に荷物を置かないで」のアナウンスが流れる。札幌が近くなるにつれ雪が強くなってきていたが列車は定時運行を維持し、11時19分定刻どおりに札幌に到着した。ここでも記念

1

2

1)定刻どおりに札幌駅に到着したオホーツク。旭川を過ぎてから天気は悪くなり、着雪量も多くなっている **2**)岩見沢を過ぎたあたりの車内の様子。席はかなり埋まっている

撮影……といきたかったのだが、苗穂の入庫シーンを撮りたかったので後ろ髪を引かれる余裕もなく急いで普通に乗り換えて苗穂へ。

苗穂駅の自由通路で待つこと数分。11時33分頃、札幌駅を発車した回送列車がゆっくりしたスピードでやってくる。ひとしきり屋根上の様子を写真に収めてキハ183の乗車記録は終わりだ。5時間以上に及ぶ長旅も、グリーン席のおかげでとても快適だった。

3

4

5

6

3)途中駅ではDE15の姿も見られた。それにしても雪の高さが大変なことに…… **4**)旭川駅では晴れていたのに、天気は途中から次第に悪くなっていく…… **5**)札幌駅を背にやってきたキハ183を苗穂で迎える。後ろには後続で発車した785系の特急すずらんも見える **6**)苗穂に到着後は次の運用に備えて洗車や給油、場合によっては編成の組み替えなどを行う。5時間23分のロングラン運用、お疲れ様でした

// サイドビュー&ディテール詳解 //

キハ183-214 保存車探訪

キハ183では希少な先頭車が北海道の安平町にある「道の駅 あびらD51ステーション」で保存されているのでモデラー視点で観察していこう。車両は0番台のキハ183-214で晩年まで特急オホーツクや大雪に充当されていた。近隣の施設では非公開ながら動態状態のキハ183-220が保管されている

DATA FILE

道の駅
あびらD51ステーション

[住所] 北海道勇払郡安平町追分柏が丘49-1

JR追分駅より徒歩約12分。国道234号沿いにある。
車では道東自動車道追分町ICより約3分。新千歳空港より車で約30分

クラウドファンディングで国鉄仕様によみがえったキハ183。ポリカーボネート窓が外され国鉄時代に近い姿になっている

反対側は車内へ入るための階段が2ヶ所設置されているが、幸い床下機器は見えやすいように配慮されている

キハ183は常設展示。冬季の雪害対策によるカバー取付時以外は外からは時間を問わず見学可能。店が営業している時間に訪れて、お買い物して売上に貢献しよう!

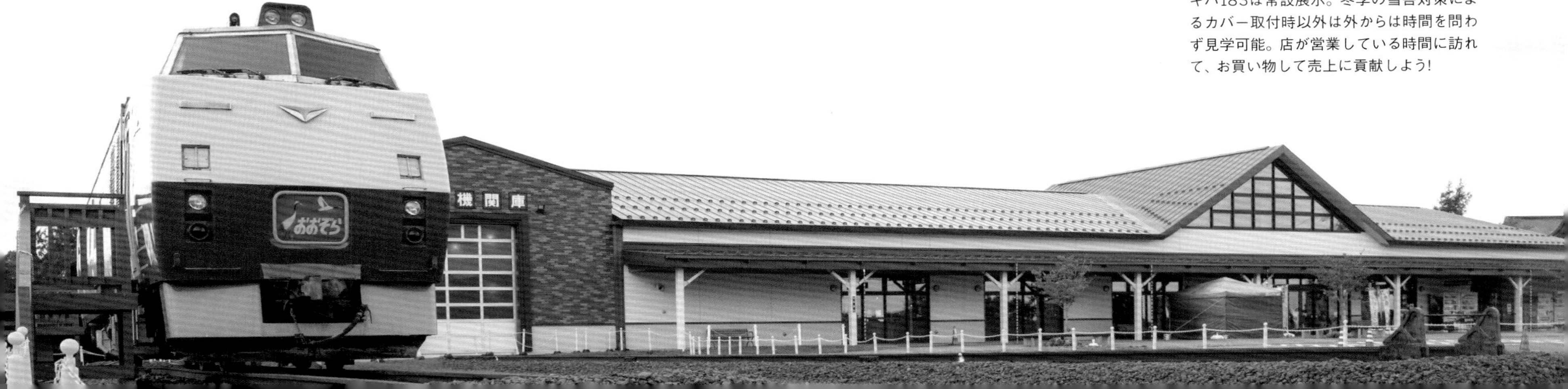

国鉄時代の仕様に復元

走り慣れた地に保存された キハ183-214

スラントノーズが特徴の基本番台の先頭車、キハ183 0番台。2018年に引退した同車だがクラウドファンディングを募った結果、無事に達成し追分駅に程近い「道の駅 あびらD51ステーション」で保存展示されることとなった。ここ追分はかつてSLファンの聖地と呼んでも過言でないほどに人気を博した追分機関区のあった地で、安平町鉄道資料館に保存されていたD51 320とともにキハ183が保存されるに至った。このキハ183もかつては特急おおぞらとして追分の地を幾度となく通っていた車両で、ヘッドマークはおおぞらを表示している。

車体は国鉄時代の仕様に復元されたため、客窓に取り付けてあったポリカーボネートが外された以外は比較的引退時の姿を保っている。200番台車特有の走行用エンジンも換装後のまま残っているので、模型で最末期の姿を再現する資料としても充分に価値がある。追分駅から徒歩圏内なので、鉄道移動でも訪れることができる。

国鉄仕様復元のために愛称表示窓もグレーに戻されている

妻面もしっかり国鉄仕様に。貫通扉上のルーバーは完全に埋まっているタイプだ

訪れたのは2023年10月。塗装に若干の痛みが見えはじめていたが艶があり今にも走り出しそうな雰囲気。素晴らしい状態だ

保存車のディテールに注目

展示されているキハ183-214は簡易的なバリケードで囲まれており、すぐ近くまで近寄ることはできない。それでも現役時代は難しかった角度からの観察も可能で、ディテールの確認なども容易だ。定期的に車内の公開を実施しており、客室や運転席後部に配置された機器室を見学できる。降雪期の11月から4月までは雪害対策としてブルーシートなどで車体を覆う冬囲いを実施するので降雪期を避けて訪れよう!

ジャンパ栓受けなどもなくシンプルなスカート。エアホースは1本のみ伸びている

妻面の連結面。こちらはジャンパ栓が用意されている。床下機器は蓄電池と排気管のスス落としが見える。大きい箱が蓄電池だ

台車は現役当時からさほど変わらない姿で展示されている

排気管は妻面のものも含めて吹出し口が二重になっている

グレー塗装になってディテールが見やすくなった。写真は発電用のエンジンでDMF13HS

走行用のエンジンはN-DMF13HZCに換装されており、保存車はそのまま残している

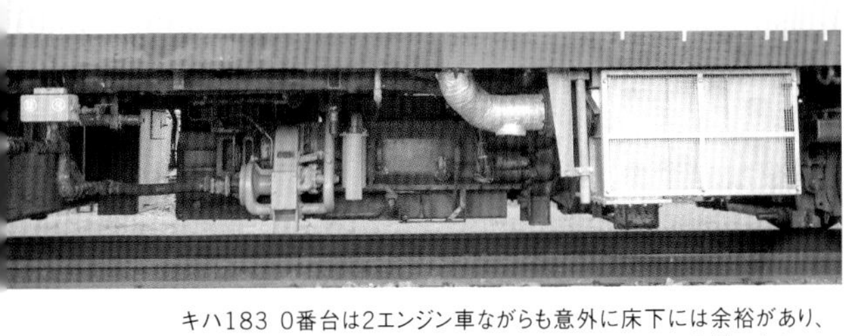

キハ183 0番台は2エンジン車ながらも意外に床下には余裕があり、反対側のエンジンも見学可能。こちらはDMF13HSの裏側になる

こちらは換装後の走行用のエンジン。模型でも意外にディテールが見えてしまうので、リアルにこだわるのならば頑張ろう!

キハ183

細密化してもっとリアルに!

ディテールアップのヒント

Nゲージのキハ183のN183系とNN183系は、
実車のNN183系がデビューした頃の
製品の設計を受け継いで製品化している。
そのためキハ85同様、
随所に気になる点が見られる。
こんなときはディテールアップが有効なので
そのヒントを紹介しよう

現在でも充分通用するTOMIXのキハ183だが、モデラー視点で見ていくと少しがっかりな点も。本書の執筆中はまだ新規格のNN183系の試作品も発表されていないので、そのクオリティが気になる

車体に立体感を出していこう

車体の加工

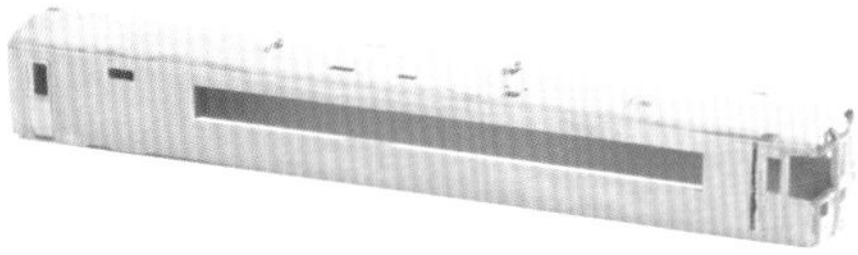

下地塗装中のキハ183。サーフェイサーで筆塗りを重ねてヤスリがけを繰り返し、酷寒に耐えたベコベコの外板を再現している

鉄道模型は製品の設計それ自体や製造ロットなどによって、車体のモールドが薄かったりして立体感に欠ける箇所が見受けられる。また、最近では塗り残しを防ぐためにあえてモールドを薄くしている製品も見られるので、場合によっては納得いかない仕上がりになっていたりする。

TOMIXのNゲージのN183系／NN183系は造形そのものは非常に素晴らしく、30年前に設計された製品とは思えぬクオリティだ。だが、製造ロットによってはモールドが薄く再現されていたり、乗務員扉後ろの雨樋が薄かったりと若干気になる点も見られる。

雨樋などのモールドに厚みを持たせる方法は数多くあるが、今回は少し変わった方法を紹介しよう。モールドを厚くしたい箇所の周囲をマスキングテープで囲い、黒い瞬間接着剤などを盛っていくというものだ。若干のヒケなどが生じてしまうので黒い瞬間接着剤の重ね塗りが必要な場合があるものの、元の造形を生かしたままのディテールアップとなっている。

薄いモールドがあったら周囲をマスキングで囲んで黒い瞬間接着剤で塗って盛っていく。爪楊枝を使うといいだろう

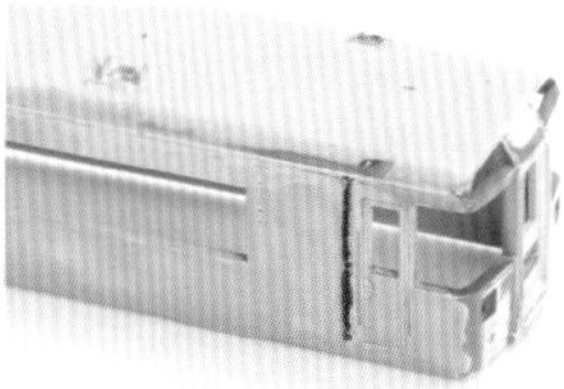

ヒケや欠けなども生じてしまうので、修正は慎重に行わなければならないが、元のモールドを生かしたままの作業となる

浅いモールドがあったらケガキ針で大胆に削って彫りを深くしてもよいだろう

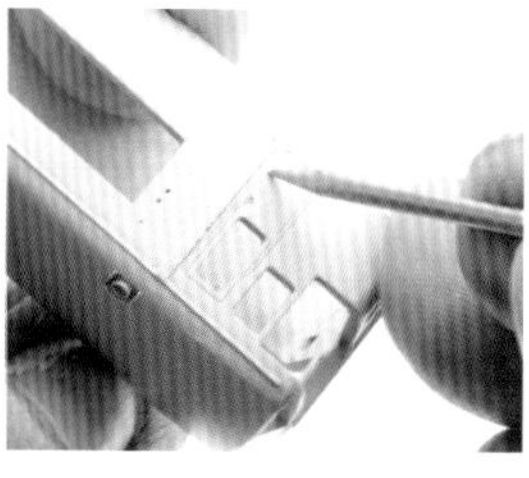

乗務員扉やその横の手すりなどもモールドが甘かったので、ケガキ針で削って彫りを深くしていく

エッチングパーツからデカールまで

キハ183に使えるパーツ

トレジャータウンの「キハ183手すりセット」。手すり以外に幌ダンパー準備工事のパーツなども収録されている

キハ183は国鉄設計を受け継いだ車両なので模型でも共通化できる部品が多いし、キハ183専用のエッチングパーツがサードパーティーメーカーから製品化されていて加工の幅が広がっている。

とくにトレジャータウンの製品は取扱店が比較的多いので入手しやすい。ただし、キハ183用の改造パーツの一部は旧製品向けだったり、お座敷気動車をつくるための改造パーツもあるので注意が必要だ。トレジャータウンの最晩年のキハ183のディテールアップパーツならTTP257-04「キハ183手すりセット」が該当する。また、TTP246「キハ183貫通扉」には前面の渡板が付属しているので渡板を別体化する際はこちらの製品を用いるとよいだろう。サボ受けはTTP255-02「サボ受け大量パーツ」に北海道タイプの上にフックのついたものが収録されているのでこちらがオススメ。キロ182 500番台などのルーバーはTTP235-01「電車・気動車小パーツ集」がオススメだ。

転落防止幌はキハ183には若干サイズが合わないが、αモデル製の製品などが流用可能。ステッカーや車体表記も充実しているので、それらを用いて思い出のキハ183をつくっていこう!

「電車・気動車小パーツ集」には大小様々なルーバーも収録されている。製品で彫りの甘いルーバーなどがあったら、こちらを用いて置き換えてもいいだろう

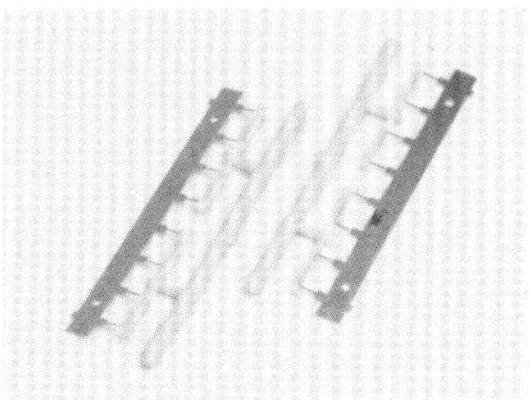

やわらかいプラを用いて実感的な質感を実現した転落防止幌はαモデルから製品化

ジオマトリックスの製品は前面の愛称表示も充実。リバイバル幕のほか、サロベツ代走時に使用された特急幕も収録されている!

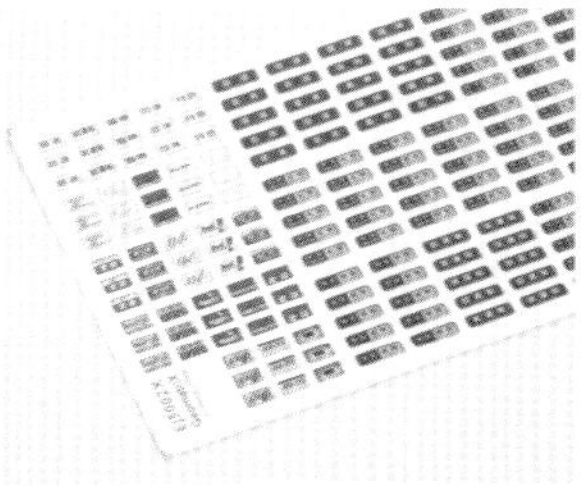

TOMIX製品で省略されている側面の行き先表示などは、ジオマトリックスなどのデカールを使うとよいだろう

手すりなどは0.2㎜や0.3㎜のピンバイスで開口して取り付ける。幌の上のダンパーのステイは貫通幌に印をつけて穴をあけていくと楽だ

座席表現を編成すべてに

キロ182 500番台に動力を組みこもう

TOMIXのNゲージ製品ではキハ182に動力が組み込まれていて座席が簡易的な表現となっている。床が高いハイデッカー構造のキロ182 500番台は、この床の高さが動力装置の高さと同じくらいなので、キロ182 500番台に動力を組み込んでしまえば編成内の全車両で座席表現の再現が可能となる。

動力に同じTOMIX製のユニットを用いることも可能だが、他社製品の動力を流用するという手もある。グリーンマックスの動力はGMストア限定商品になってしまうが、専用の動力ユニット取付アダプターも販売されているので、これらを組み合わせての動力化が可能だ。グリーンマックスの動力は座席パーツがなくフラットな床面の状態なので内装表現は簡単にできる。ただ、床下パーツは改造する必要があるため、最終的には自分のやりやすい手段を選ぶことになる。

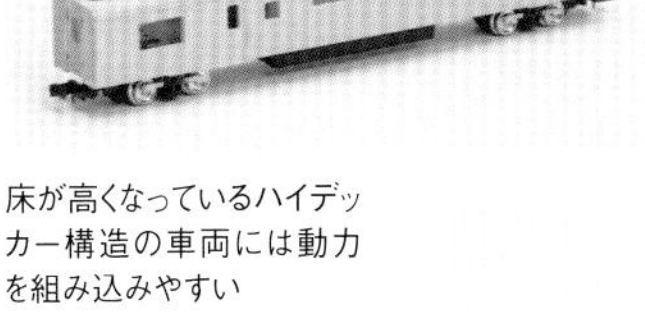

床が高くなっているハイデッカー構造の車両には動力を組み込みやすい

グリーンマックスの動力は動力ユニット取付アダプターを車体に貼り付けるだけで取付可能。ただし、窓ガラスパーツは加工が必須

佐々木龍（ささき・りゅう）

1988年東京生まれ。物心ついたときからの鉄道狂いだったが、15歳のころよりパンクロックに目覚めて一度は鉄道から離れるも、18歳の大事な受験期に鉄コレと出会い模型に熱中する。日本大学芸術学部写真学科卒業後は1年間広告系の製作会社に勤めカメラマンとして独立。現在は雑誌の仕事を中心に、大手メーカーのカタログ撮影なども担当。最近はカメラよりカッターを握って工作する仕事のほうが圧倒的に多いとか。著書に「地方私鉄 ミニレイアウトのつくり方」（イカロス出版）

デザイン［カバー＆本文］　浜田真二郎

鉄道模型のための車両資料集

キハ85・キハ183

2023年11月25日 初版発行

著者　佐々木龍

発行人　山手章弘

発行所　イカロス出版株式会社
〒101-0051
東京都千代田区神田神保町1-105
電話：03-6837-4661（出版営業部）

印刷・製本所　図書印刷